漢字検定

4級

頻出度順問題集

高橋書店

頻出ベスト100 書き取り

訓読みを優先して覚えよう

「書き取り」では、音読み12問、読み8問程度が出題される。中でも訓読みは同じ問題が繰り返し出題されやすい。優先的に対策しよう。

問題	解答
1 アセ	汗
2 ハじる	恥じる
3 ナヤむ	悩む
4 トツニュウ	突入
5 アクシュ	握手
6 ワタす	渡す
7 (畑を)アらす	荒らす
8 センド	鮮度
9 (朝に)キショウする	起床する
10 キョダイ	巨大
11 (髪を)カワかす	乾かす
12 スイテキ	水滴
13 コウスイ(をつける)	香水
14 (水に)ウく	浮く
15 タヨる	頼る
16 ヨゴす	汚す
17 アツカう	扱う
18 コンザツ	混雑
19 センパイ	先輩
20 (紙を)ヤブる	破る
21 キワめる	極める
22 サキュウ	砂丘
23 シンセン(な野菜)	新鮮
24 イサましい	勇ましい
25 ハナつ	放つ
26 メグむ	恵む
27 チコク	遅刻
28 アクリョク	握力
29 (野犬が)ムれる	群れる
30 (端に)ヨせる	寄せる
31 ゲンマイ	玄米
32 フツウ	普通
33 ワる	割る
34 ライウ	雷雨
35 レンアイ	恋愛
36 ジョウブ	丈夫
37 ワクセイ	惑星
38 ヒミツ	秘密
39 アむ	編む
40 (ボタンを)オす	押す
41 サケぶ	叫ぶ
42 カタグルマ	肩車
43 ヌく	抜く
44 ウラナう	占う

45 シンライ ▼信頼
46 ニげる ▼逃げる
47 ツカまえる ▼捕まえる
48 アマやかす ▼甘やかす
49 (花が)サく ▼咲く
50 カンキョウ ▼環境
51 スルドい ▼鋭い
52 ツカれる ▼疲れる
53 ヘイボン ▼平凡
54 ハンバイ ▼販売
55 タボウ ▼多忙
56 オニ ▼鬼
57 ユウシュウ ▼優秀
58 ワタユキ ▼綿雪

59 ブタイ ▼舞台
60 イソガしい ▼忙しい
61 イカる ▼怒る
62 (獲物を)カる ▼狩る
63 (お気に)メす ▼召す
64 (草が)カれる ▼枯れる
65 ケムリ ▼煙
66 (耳を)スます ▼澄ます
67 ゲジュン ▼下旬
68 カガヤく ▼輝く
69 コンヤク ▼婚約
70 ウツワ ▼器
71 クルう ▼狂う
72 サバく ▼裁く

73 イッパン ▼一般
74 オキ ▼沖
75 フジョウ ▼浮上
76 シエン ▼支援
77 (構想を)ネる ▼練る
78 ムチュウ ▼夢中
79 ソソぐ ▼注ぐ
80 トチュウ ▼途中
81 イダく ▼抱く
82 ハリ ▼針
83 (針を指に)サす ▼刺す
84 ニブい ▼鈍い
85 ネツレツ ▼熱烈
86 ハバ ▼幅

87 セマい ▼狭い
88 コウタク ▼光沢
89 ヒカクする ▼比較する
90 メズラしい ▼珍しい
91 クダ ▼管
92 ケイシャ ▼傾斜
93 アズける ▼預ける
94 キョタイ ▼巨体
95 チョウサ ▼調査
96 スイサイガ ▼水彩画
97 エンソウ ▼演奏
98 ヌマ ▼沼
99 ナミダ ▼涙
100 ノゾく ▼除く

頻出ベスト100

対義語・類義語

複数の語が対応する熟語に注意

「対義語・類義語」は対になる語を答える問題。丈夫⇔病弱、丈夫＝健康のように、複数の語と対応する熟語は、関連付けて覚えよう。

対義語

	問題		解答
1	開放（かいほう）	⇔	閉鎖（へいさ）
2	誕生（たんじょう）	⇔	永眠（えいみん）
3	航行（こうこう）	⇔	停泊（ていはく）
4	大要（たいよう）	⇔	詳細（しょうさい）
5	繁雑（はんざつ）	⇔	簡略（かんりゃく）
6	中止（ちゅうし）	⇔	継続（けいぞく）
7	歓声（かんせい）	⇔	悲鳴（ひめい）
8	定期（ていき）	⇔	臨時（りんじ）
9	親切（しんせつ）	⇔	冷淡（れいたん）
10	冒頭（ぼうとう）	⇔	末尾（まつび）
11	在宅（ざいたく）	⇔	留守（るす）
12	不振（ふしん）	⇔	好調（こうちょう）
13	例外（れいがい）	⇔	原則（げんそく）
14	希薄（きはく）	⇔	濃密（のうみつ）
15	高雅（こうが）	⇔	低俗（ていぞく）
16	温和（おんわ）	⇔	凶暴（きょうぼう）
17	返却（へんきゃく）	⇔	借用（しゃくよう）
18	受理（じゅり）	⇔	却下（きゃっか）
19	陰性（いんせい）	⇔	陽性（ようせい）
20	年頭（ねんとう）	⇔	歳末（さいまつ）
21	回避（かいひ）	⇔	直面（ちょくめん）
22	複雑（ふくざつ）	⇔	単純（たんじゅん）
23	消費（しょうひ）	⇔	貯蓄（ちょちく）
24	離脱（りだつ）	⇔	参加（さんか）
25	存続（そんぞく）	⇔	断絶（だんぜつ）
26	病弱（びょうじゃく）	⇔	丈夫（じょうぶ）
27	脱退（だったい）	⇔	加盟（かめい）
28	執着（しゅうちゃく）	⇔	断念（だんねん）
29	徴収（ちょうしゅう）	⇔	納入（のうにゅう）
30	沈殿（ちんでん）	⇔	浮遊（ふゆう）
31	起床（きしょう）	⇔	就寝（しゅうしん）
32	深夜（しんや）	⇔	白昼（はくちゅう）
33	劣悪（れつあく）	⇔	優良（ゆうりょう）
34	需要（じゅよう）	⇔	供給（きょうきゅう）
35	野党（やとう）	⇔	与党（よとう）
36	近海（きんかい）	⇔	遠洋（えんよう）
37	濁流（だくりゅう）	⇔	清流（せいりゅう）
38	逃走（とうそう）	⇔	追跡（ついせき）
39	決定（けってい）	⇔	保留（ほりゅう）
40	保守（ほしゅ）	⇔	革新（かくしん）
41	凶作（きょうさく）	⇔	豊作（ほうさく）
42	慎重（しんちょう）	⇔	軽率（けいそつ）
43	不和（ふわ）	⇔	円満（えんまん）
44	遠方（えんぽう）	⇔	近隣（きんりん）

45 一致 ⇕ 相違
46 加熱 ⇕ 冷却
47 祖先 ⇕ 子孫
48 加入 ⇕ 離脱
49 専任 ⇕ 兼務
50 浮上 ⇕ 沈下

類義語

1 対等 ＝ 互角
2 健康 ＝ 丈夫
3 釈明 ＝ 弁解
4 精進 ＝ 努力
5 縁者 ＝ 親類
6 本気 ＝ 真剣
7 用心 ＝ 警戒
8 長者 ＝ 富豪
9 専有 ＝ 独占
10 同等 ＝ 匹敵
11 使命 ＝ 責務
12 加勢 ＝ 応援
13 入手 ＝ 獲得
14 不意 ＝ 突然
15 隷属 ＝ 服従
16 永眠 ＝ 他界
17 地道 ＝ 堅実
18 全快 ＝ 完治
19 根底 ＝ 基盤
20 及第 ＝ 合格
21 周到 ＝ 綿密
22 対照 ＝ 比較
23 理由 ＝ 根拠
24 風刺 ＝ 皮肉
25 備蓄 ＝ 貯蔵
26 腕前 ＝ 技量
27 名誉 ＝ 栄光
28 雑踏 ＝ 混雑
29 大樹 ＝ 巨木
30 回想 ＝ 追憶
31 即刻 ＝ 早速
32 前途 ＝ 将来
33 手本 ＝ 模範
34 運搬 ＝ 輸送
35 最初 ＝ 冒頭
36 団結 ＝ 結束
37 考慮 ＝ 思案
38 道端 ＝ 路傍
39 熱狂 ＝ 興奮
40 閉口 ＝ 困惑
41 無視 ＝ 黙殺
42 苦労 ＝ 難儀
43 普通 ＝ 尋常
44 可否 ＝ 是非
45 支度 ＝ 準備
46 守備 ＝ 防御
47 許可 ＝ 承認
48 近隣 ＝ 周辺
49 不朽 ＝ 永遠
50 改定 ＝ 変更

頻出ベスト48

四字熟語

意味も一緒に覚えよう

「四字熟語」に使われる漢字1字を書く問題。あまり見慣れない四字熟語は、意味も一緒に覚えると記憶に残りやすい。左の表を参考に意味も押さえておこう。

	四字熟語	意味
1	真剣勝負（しんけんしょうぶ）	命がけでいどむこと
2	金科玉条（きんかぎょくじょう）	一番大切な決まりや法律
3	五里霧中（ごりむちゅう）	物事の手がかりにとまどうこと
4	現状維持（げんじょういじ）	今の様子がそのまま変化しない
5	牛飲馬食（ぎゅういんばしょく）	むやみに大酒・大食いをすること
6	頭寒足熱（ずかんそくねつ）	頭を冷やして足を温めること
7	起承転結（きしょうてんけつ）	文章の構成法や物事の順序
8	故事来歴（こじらいれき）	物ごとのいわれと歴史
9	名所旧跡（めいしょきゅうせき）	景色や城あとなどが名高いところ
10	付和雷同（ふわらいどう）	他人の言動に軽々しく合わせる
11	豊年満作（ほうねんまんさく）	農作物がよく実り収かくが多い年
12	玉石混交（ぎょくせきこんこう）	よいものと劣ったものがまじっている
13	一網打尽（いちもうだじん）	一度に悪人をとらえつくすこと
14	電光石火（でんこうせっか）	動作が素早い様子
15	思慮分別（しりょふんべつ）	深く考え道理をわきまえること
16	青天白日（せいてんはくじつ）	後ろ暗いことがまったくない
17	同工異曲（どうこういきょく）	外見はともかく内容はだいたい同じ
18	天災地変（てんさいちへん）	自然現象によって起こる災害
19	時節到来（じせつとうらい）	よい機会がやってくること
20	汚名返上（おめいへんじょう）	悪い評判をしりぞけること
21	自給自足（じきゅうじそく）	自分に必要なものを自分で生産すること

22	七難八苦	しちなんはっく	ありとあらゆる苦しみ
23	絶体絶命	ぜったいぜつめい	追い詰められて逃げられない様子
24	是非善悪	ぜひぜんあく	物事のよしあし
25	有為転変	ういてんぺん	この世の物事が常に移ろうこと
26	古今東西	ここんとうざい	昔からいままで、あちらこちら
27	疑心暗鬼	ぎしんあんき	うたがいだすと何でも不安に思う
28	危機一髪	ききいっぱつ	きわめてきけんがせまっている状態
29	縦横無尽	じゅうおうむじん	自由自在にふるまう様子
30	二束三文	にそくさんもん	物の価値が低く価格が安いこと
31	半信半疑	はんしんはんぎ	本当かどうか迷うこと
32	奇想天外	きそうてんがい	思いもよらない変わった考え
33	青息吐息	あおいきといき	非常に困ったり苦しんだりする状態
34	興味本位	きょうみほんい	面白いかどうかを中心にした考え
35	狂喜乱舞	きょうきらんぶ	非常によろこぶ様子
36	信賞必罰	しんしょうひつばつ	きびしく賞罰を行うこと
37	議論百出	ぎろんひゃくしゅつ	さまざまな意見が数多く出ること
38	不眠不休	ふみんふきゅう	少しもやすまず物事を熱心にやる様子
39	博覧強記	はくらんきょうき	書物に親しみ知識が豊富なこと
40	問答無用	もんどうむよう	話し合っても何の意味もないこと
41	驚天動地	きょうてんどうち	世間をアッとおどろかせること
42	有名無実	ゆうめいむじつ	評判と実際が違っていること
43	八方美人	はっぽうびじん	みなによく思われるようふるまう
44	論旨明快	ろんしめいかい	意見がはっきりして筋道が通っている
45	一刻千金	いっこくせんきん	わずかな時間が非常に貴重なこと
46	沈思黙考	ちんしもっこう	だまってじっと考え込むこと
47	無味乾燥	むみかんそう	内容がなくおもしろみもないこと
48	美辞麗句	びじれいく	うわべだけ飾った内容のない言葉

頻出ベスト44 部首

No.	漢字	部首	部首名
1	殿	殳	るまた
2	衛	行	ぎょうがまえ
3	扇	戸	とだれ
4	隷	隶	れいづくり
5	再	冂	どうがまえ
6	奥	大	だい
7	項	頁	おおがい
8	盾	目	め
9	彩	彡	さんづくり
10	罰	罒	あみがしら
11	壱	士	さむらい
12	術	行	ぎょうがまえ
13	朱	木	き
14	競	立	たつ
15	鬼	鬼	おに
16	趣	走	そうにょう
17	圏	囗	くにがまえ
18	突	穴	あなかんむり
19	箇	竹	たけかんむり
20	玄	玄	げん
21	療	疒	やまいだれ
22	戒	戈	ほこづくり
23	尾	尸	かばね
24	歳	止	とめる
25	街	行	ぎょうがまえ
26	柔	木	き
27	床	广	まだれ
28	透	辶	しんにょう
29	裁	衣	ころも
30	曇	日	ひ
31	舞	舛	まいあし
32	我	戈	ほこづくり
33	痛	疒	やまいだれ
34	誉	言	げん
35	影	彡	さんづくり
36	舟	舟	ふね
37	輩	車	くるま
38	畳	田	た
39	軒	車	くるまへん
40	甘	甘	かん
41	疲	疒	やまいだれ
42	倒	亻	にんべん
43	需	雨	あめかんむり
44	斜	斗	とます

頻出漢字だけ覚えたら他の対策を

「部首」は漢字の部首を選ぶ問題。4級の頻出漢字は決まっている。配点も10点と少ないので、頻出リストを覚えたら、他の分野の対策に時間をかけよう。

頻出ベスト40

熟語の構成

オ 上が下を打ち消し
エ 下が上の目的語
ウ 上が下を修飾
イ 反対の意味
ア 同じ意味

ルールを覚えたら簡単

「熟語の構成」は熟語の漢字の関係を答える問題。ウとエの区別が重要。熟語「○×」の場合、「○の×」と読めたらウ、「×を○する」と読めたらエのことが多い。

	熟語	熟語の構成
1	送迎	イ
2	優劣	イ
3	濃淡	イ
4	首尾	イ
5	平凡	ア
6	禁煙	エ
7	存亡	イ
8	新鮮	ア
9	製菓	エ
10	経緯	イ
11	遠征	ウ
12	仰天	エ
13	休暇	ア
14	直訴	ウ
15	賞罰	イ
16	利害	イ
17	尽力	エ
18	栄枯	イ
19	更衣	エ
20	遊戯	ア
21	功罪	イ
22	陰陽	イ
23	砂丘	ウ
24	着脱	イ
25	因果	イ
26	光輝	ア
27	無恥	オ
28	歌謡	ア
29	清濁	イ
30	師弟	イ
31	遅刻	エ
32	恩恵	ア
33	雌雄	イ
34	安眠	ウ
35	帰途	ウ
36	無尽	オ
37	是非	イ
38	遅速	イ
39	絶縁	エ
40	波紋	ウ

本書で合格できる理由

「日本漢字能力検定」（以下、漢字検定）には、出題の傾向や効率的な学習のコツがあります。本書は、できるだけ最短距離で合格するために、効果的に学習できる工夫が施(ほどこ)されています。

▼「新出配当漢字」以外も対策できる

漢字検定の対策は広く漢字を覚えることが重要です。

漢字検定は、級があがるごとに出題される漢字が増えます。たとえば、5級の試験で出題対象となる漢字は1026字ですが、4級では更に313字増え、合計1339字となります。

その級で新たに出題対象となる漢字のことを、「新出配当漢字」と呼びます。試験では**出題分野によっては、新出配当漢字以外の字がよく出題される**こともあります。

実際に、下の表のように4級の「書き取り」問題では、4級より下の級で登場した字も多く出題されています。

そのため、受検級の新出配当漢字だけを対策して試験に挑(いど)むと、本番の試験では意外と出題されなかった、ということもありえます。

本書は**その級で過去に出題された内容を基にした問題を数多く掲載しています**。新出配当漢字以外の漢字もしっかり押さえておきましょう。

「書き取り」出題回数ランキング（4級）

順位	問題	
1位	汗	「汗」は4級で新出
2位	恥じる	「恥」は4級で新出
3位	悩む	「悩」は4級で新出
4位	突入	「突」は4級、「入」は10級で新出
5位	握手	「握」は4級、「手」は10級で新出
6位	渡る	「渡」は4級で新出
7位	荒らす	「荒」は4級で新出
8位	鮮度	「鮮」は4級、「度」は8級で新出
9位	起床	「起」は8級、「床」は4級で新出
10位	巨大	「巨」は4級、「大」は10級で新出

▼よく出る問題から覚えられる

漢字検定の対策は「頻出度」対応のテキストや問題集で学習するのが効率的です。

なぜなら、各級の試験で出題の対象となる漢字の量は膨大で、すべてを完璧に覚えるのはとてもたいへんだからです。5級でも1026字、2級なら2136字と、出題範囲は広く、時間がいくらあっても足りません。

ところが、出題傾向を分析すると**試験には出題されやすい問題というものがあります**。下の表のように、高頻度で出題されている問題がある一方、過去十数年で1回しか出題されていないものや、1度も出題されたことがないものもあります。それらの出題頻度が低い問題が次の試験で出題される確率は、かなり低いでしょう。

そのため、出題範囲の漢字を五十音順で覚えたり、過去問だけをひたすら解いていったりするのは、効率がよいとはいえません。

本書は、**過去10年分の過去問のなかから、試験によく出題されている問題を中心に収録**しています。次の試験で出題される確率が高い問題を解き、確実に得点につながる対策をしましょう。

直近10年で出題回数が多い漢字（4級）

問題	出題回数
離	75
薄	74
鮮	72
跡	71
濃	71
到	69
眠	68
脱	68
援	67
惑	67

直近10年で出題回数が少ない漢字（4級）

問題	出題回数
郎	8
峠	8
芋	8
距	7
浜	7
薪	7
娘	7
沼	5
奴	1
弐	0

おすすめ学習プラン

本書は、試験直前で対策を始める人、じっくり学習して万全に対策したい人、どちらにもお使いいただけるようにできています。試験本番までのおすすめ学習プラン例を紹介します。

申し込み
試験の3〜1か月前

学習時間目安
2時間／1日

2週間前

★頻出度A・Bを一巡する

・赤チェックシートを使いながらまず解いてみる
・解けなかった問題はチェックをつける
・解けなかった書き問題は、正解をノートに書いて覚える

1週間前

★頻出度A・Bの正解率を高める

・まずは頻出度Aから、チェックをつけた問題の「読む・書く→解く」を繰り返す
・自信をもって解けるようになった問題には○をつける
・頻出度Aの8割が解けるようになったら、頻出度Bのチェックをつけた問題に取り組む

1〜2か月で決める!
長期じっくりプラン

学習時間目安
30分／1日

2か月前

★頻出度A・Bを一巡する

・赤チェックシートを使いながらまず解いてみる
・解けなかった問題はチェックをつける
・解けなかった書き問題は、正解をノートに書き留める
・学習する総ページ数を学習日数で割り、「毎日6ページやる」など決めて習慣的に取り組む

1か月前

★頻出度A・Bの正解率を高める

・まずは頻出度Aから、チェックをつけた問題だけを解き直す。書き問題は、ノートに書き留めた正解を繰り返し書いて覚える
・自信をもって解けるようになった問題には○をつける
・頻出度Aの8割が解けるようになったら、頻出度Bのチェックをつけた問題に取り組む

「頻出漢字学習ポスター」をダウンロードし、移動中のすきま時間の学習にも活用しよう

3日前

★模擬試験を解いて、弱点を洗い出す

・巻末の模擬試験を時間を計りながら解く
・採点してみて苦手だった分野は、頻出度A・Bをもう一度復習する

頻出度A・Bの正解率がまだ8割以下の人は、引き続きそちらも学習しよう

試験当日

★チェックをつけた問題を直前確認

・試験会場までの移動中や会場待機中に、最後まで○がつかなかった問題を確認する

巻頭ページの頻出ベストをチェックするのもおすすめ

目標得点

170 ／200点

学習のポイント

すべて完璧にしようとせずに、頻出度の高い問題の正解率を高めよう。最初に不正解だった問題は、その後解けるようになってもチェックを消さず、試験直前で再確認しよう。

2週間前

★模擬試験を解いて、本番形式に慣れる

・巻末の模擬試験を時間を計りながら解く
・採点してみて苦手だった分野は、頻出度A・Bをもう一度復習する

1週間前

★苦手問題を徹底的につぶす

・頻出度A・Bがほぼ完璧になるまで、学習を繰り返す
・頻出度A～Bの、最初に解けずにチェックをつけた問題は、試験前に再度すべて確認する

『漢検要覧』にも目を通し、字体や部首を間違えて覚えていないか確認をしておくと安心

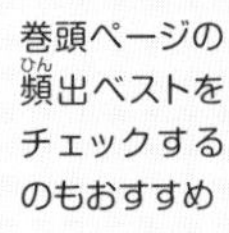

目標得点

190 ／200点

学習のポイント

2か月あれば準備期間は充分！　計画を立て、習慣的に学習を続けていくことが大事。チェックボックスを活用し、頻出度A・B問題がすべて解けるようにしておこう。

※ここで紹介しているのは本書を使用した効率的な学習方法の一例ですが、合格を保証するものではありません。

「漢字検定」受検ガイド

「漢字検定」の試験概要を紹介します。解答する際の注意点や、出題分野、配点、検定実施の時期などを確認して、自分なりの対策方法を考えてみましょう。

▼検定会場

全国47都道府県の主要都市。

▼検定実施の時期

年3回（6月・10月・翌年1～2月中の日曜日）

※団体受検、CBT（パソコンによる受検）などの詳細は日本漢字能力検定協会にお問い合わせください。

▼申し込み方法

個人受検では、インターネットで専用サイトにアクセスして申し込む。クレジットカード、コンビニ決済、二次元コード決済で検定料を支払う。

手続き後、検定日の1週間前ごろまでに受検票が送られてきます。検定日の4日前になっても届かない場合は、日本漢字能力検定協会に問い合わせましょう。

合否結果は「検定結果通知」が郵送されるほか、WEBでも公開されます。

▼よくある質問

Q 字体によって形が異なる字はどれが正しいの？

A 「衣」の4画目の折り方など、活字のデザイン差がある漢字があります。漢字検定の解答で手本とすべき字体は、「教科書体」です。

Q 答えが複数ある問題はどうすればいいの？

A 試験の正答は日本漢字能力検定協会が判断しています。本書の標準解答は、過去の試験で標準解答として発表された字を掲載しています。正答については、『漢検要覧 2～10級対応』や『漢検 過去問題集』で確認しましょう。

Q 試験の正解は何が基準になっているの？

A 「部首」は『漢検要覧 2～10級対応』収録の「部首一覧表と部首別の常用漢字」が基準です。「筆順」の原則は文部省（現 文部科学省）編『筆順指導の手びき』、常用漢字の筆順は『漢検要覧 2～10級対応』収録の「常用漢字の筆順一覧」が基準になっています。

▼各級（準1～5級）の出題内容

※検定に関する情報は、過去の試験を弊社で独自に分析し作成したものです。

	準1級	2級	準2級	3級	4級	5級
主な対象学年（目安）	大学・一般程度	高校卒業 大学・一般程度	高校 在学程度	中学校 卒業程度	中学校 在学程度	小学校6年生 修了程度
漢字の読み	30点	30点	30点	30点	30点	20点
表外読み	10点					
熟語と一字訓	10点					
漢字の書き取り	40点	50点	50点	40点	40点	40点
四字熟語	30点	30点	30点	20点	20点	20点
故事・諺	20点					
対義語・類義語	20点	20点	20点	20点	20点	20点
共通の漢字	10点					
誤字訂正	10点	10点	10点	10点	10点	
文章題	20点					
送り仮名		10点	10点	10点	10点	10点
同音・同訓異字		20点	20点	30点	30点	
部首・部首名		10点	10点	10点	10点	10点
熟語の構成		20点	20点	20点	20点	20点
漢字識別				10点	10点	
音と訓						20点
同じ読みの漢字						20点
熟語作り						10点
画数						10点
合格基準	80%程度	80%程度	70%程度	70%程度	70%程度	70%程度
満点	200点	200点	200点	200点	200点	200点
検定時間	60分	60分	60分	60分	60分	60分

検定試験の問い合わせ先

公益財団法人 日本漢字能力検定協会

●フリーダイヤル 0120-509-315（土日・祝日・お盆・年末年始を除く 9:00 ～ 17:00）
※検定日とその前日にあたる土日は窓口を開設
※検定日は 9:00 ～ 18:00

●所在地
〒605-0074 京都市東山区祇園町南側551番地　TEL 075-757-8600　FAX 075-532-1110

●ホームページ https://www.kanken.or.jp/

※実施要項、申し込み方法等は変わることがあります。詳細は協会ホームページなどでご確認ください。

※出題分野・内容（出題形式、問題数、配点）等は変わることがあります。実際に出題された内容については『漢検 過去問題集』（公益財団法人 日本漢字能力検定協会発行）を参照してください。

目次

かならず押さえる！

最頻出問題

第1章

かならず押さえる！

頻出度 A

読み ①

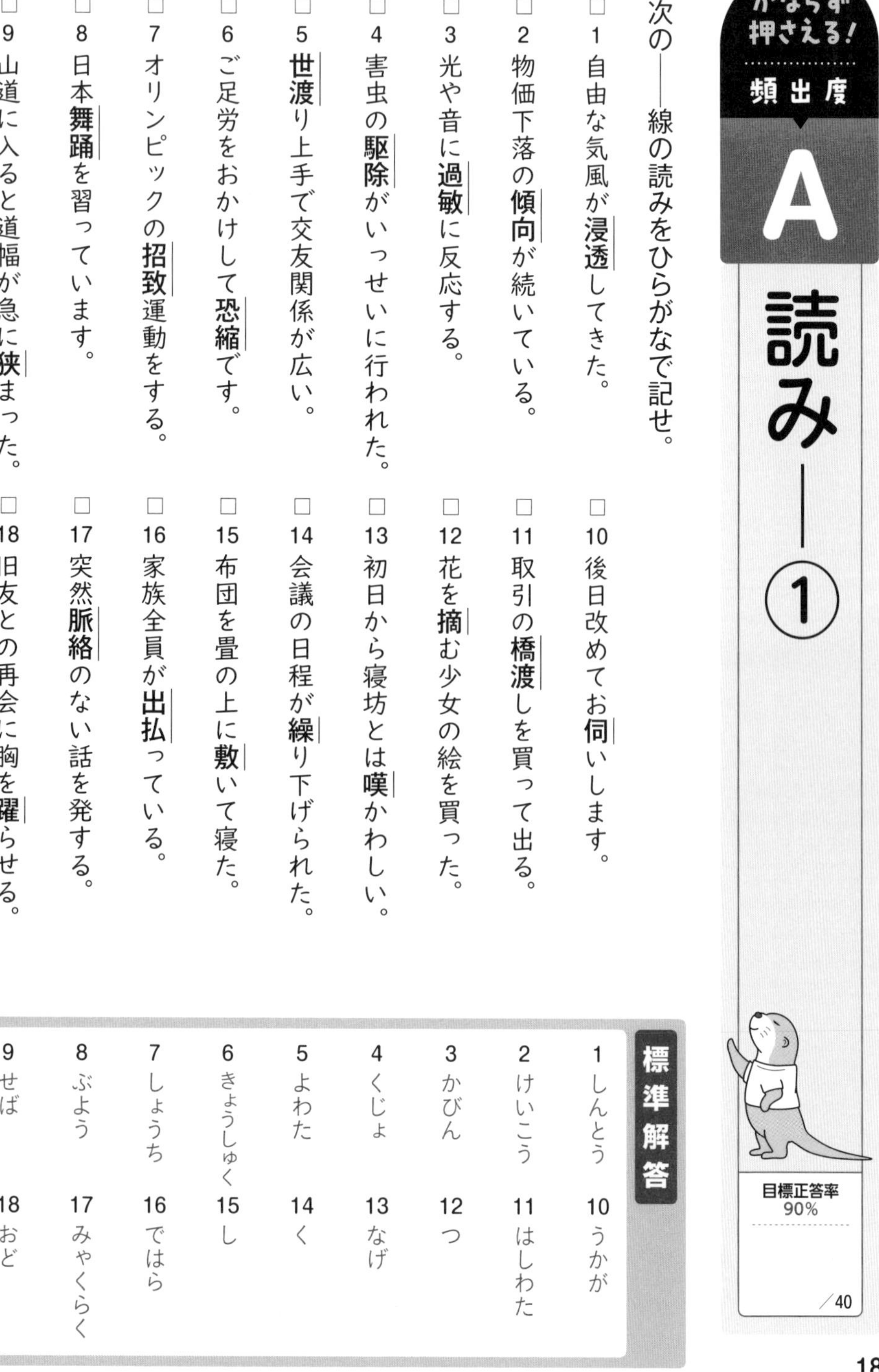

目標正答率 90%

／40

※次の――線の読みをひらがなで記せ。

□ 1 自由な気風が**浸透**してきた。

□ 2 物価下落の**傾向**が続いている。

□ 3 光や音に**過敏**に反応する。

□ 4 害虫の**駆除**がいっせいに行われた。

□ 5 **世渡**り上手で交友関係が広い。

□ 6 ご足労をおかけして**恐縮**です。

□ 7 オリンピックの**招致**運動をする。

□ 8 日本**舞踊**を習っています。

□ 9 山道に入ると道幅が急に**狭**まった。

□ 10 後日改めてお**伺**いします。

□ 11 取引の**橋渡**しを買って出る。

□ 12 花を**摘**む少女の絵を買った。

□ 13 初日から寝坊とは**嘆**かわしい。

□ 14 会議の日程が**繰**り下げられた。

□ 15 布団を畳の上に**敷**いて寝た。

□ 16 家族全員が**出払**っている。

□ 17 突然**脈絡**のない話を発する。

□ 18 旧友との再会に胸を**躍**らせる。

標準解答

1 しんとう
2 けいこう
3 かびん
4 くじょ
5 よわた
6 きょうしゅく
7 しょうち
8 ぶよう
9 せば
10 うかが
11 はしわた
12 つ
13 なげ
14 く
15 し
16 ではら
17 みゃくらく
18 おど

- □ 19 **縁**の太い眼鏡を好んでかける。
- □ 20 人間に**匹敵**するロボットを作る。
- □ 21 **誠**を尽くして人に接する。
- □ 22 きつい**毒舌**で知られる芸人だ。
- □ 23 会見での涙は**作為**的に見えた。
- □ 24 小言ばかり言って**煙**たがられる。
- □ 25 **雌**の子犬を育てるのは初めてだ。
- □ 26 非難の**矛先**がこちらに回ってきた。
- □ 27 世間の**荒波**に立ち向かう。
- □ 28 **道端**の花に季節を感じる。
- □ 29 彼には**恥**じらいの色も見えない。
- □ 30 毎月の**小遣**いの額を決める。
- □ 31 若葉が**滴**でぬれている。
- □ 32 寒さが**更**にきびしくなってきた。
- □ 33 派手な花**柄**の服を好んで着る。
- □ 34 社長の指示を**仰**いだ。
- □ 35 この小川の水はよく**澄**んでいる。
- □ 36 永遠に**朽**ちることのない名作だ。
- □ 37 親友に思いの**丈**を打ち明けた。
- □ 38 昼夜**交替**で警備にあたる。
- □ 39 相手の良心に**訴**えるしかない。
- □ 40 **鉛**を使った工芸品を販売している。

19	ふち	30	こづか
20	ひってき	31	しずく
21	まこと	32	さら
22	どくぜつ	33	がら
23	さくい	34	あお
24	けむ	35	す
25	めす	36	く
26	ほこさき	37	たけ
27	あらなみ	38	こうたい
28	みちばた	39	うった
29	は	40	なまり

かならず押さえる！ 頻出度 A

読み ── ②

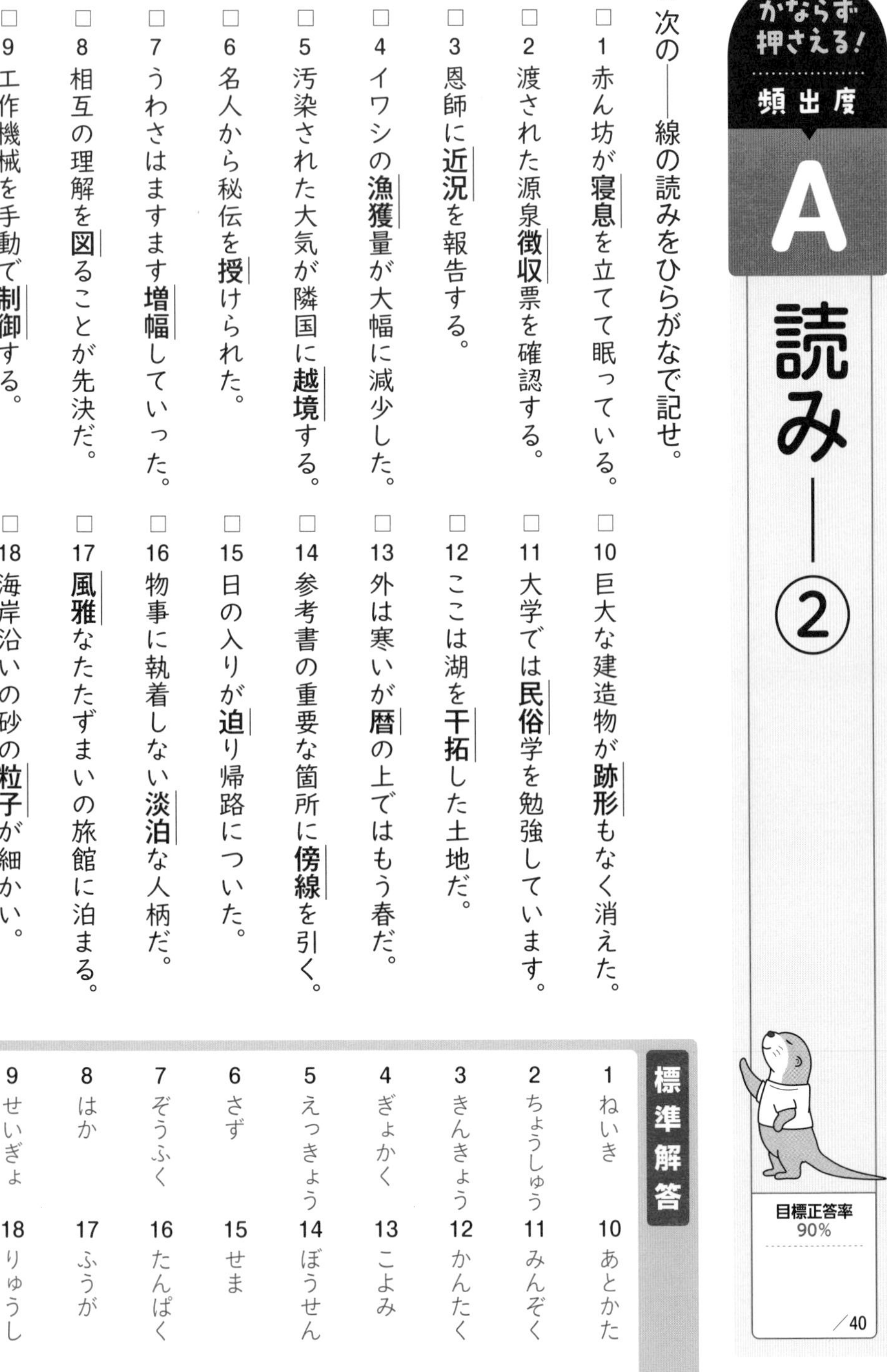

目標正答率 90%

／40

※次の──線の読みをひらがなで記せ。

- □ 1 赤ん坊が**寝息**を立てて眠っている。
- □ 2 渡された源泉**徴収**票を確認する。
- □ 3 恩師に**近況**を報告する。
- □ 4 イワシの**漁獲**量が大幅に減少した。
- □ 5 汚染された大気が隣国に**越境**する。
- □ 6 名人から秘伝を**授**けられた。
- □ 7 うわさはますます**増幅**していった。
- □ 8 相互の理解を**図**ることが先決だ。
- □ 9 工作機械を手動で**制御**する。
- □ 10 巨大な建造物が**跡形**もなく消えた。
- □ 11 大学では**民俗**学を勉強しています。
- □ 12 ここは湖を**干拓**した土地だ。
- □ 13 外は寒いが**暦**の上ではもう春だ。
- □ 14 参考書の重要な箇所に**傍線**を引く。
- □ 15 日の入りが**迫**り帰路についた。
- □ 16 物事に執着しない**淡泊**な人柄だ。
- □ 17 **風雅**なたたずまいの旅館に泊まる。
- □ 18 海岸沿いの砂の**粒子**が細かい。

標準解答

1	ねいき	10	あとかた
2	ちょうしゅう	11	みんぞく
3	きんきょう	12	かんたく
4	ぎょかく	13	こよみ
5	えっきょう	14	ぼうせん
6	さず	15	せま
7	ぞうふく	16	たんぱく
8	はか	17	ふうが
9	せいぎょ	18	りゅうし

□ 19 古寺を**巡**る旅をした。
□ 20 ついに球界の**殿堂**入りを果たした。
□ 21 新社長として今後の**抱負**を語る。
□ 22 世界平和を**祈願**して建てられた。
□ 23 過労で頭の働きが**鈍**くなっている。
□ 24 娘の卒業式で**感涙**にむせんだ。
□ 25 **香料**の強い石けんは苦手だ。
□ 26 親せきを空港まで**迎**えに行った。
□ 27 深夜の**寂**しい商店街を歩く。
□ 28 他社より**劣**っているのは営業力です。
□ 29 **濃霧**のため通行止めとなった。
□ 30 家族に**甘**やかされて育った。
□ 31 注文された商品を**敏速**に発送する。
□ 32 二名の教師が生徒たちを**引率**する。
□ 33 反対派の意見は**黙殺**された。
□ 34 新聞の報道で事件が**公**になった。
□ 35 **耐熱**ガラスの皿でグラタンを焼く。
□ 36 **丹念**に仕上げた風景画です。
□ 37 彼の言葉に**惑**わされるな。
□ 38 事件が多発して世間が**騒**がしい。
□ 39 害虫が発生し街路樹が**枯死**する。
□ 40 **腕章**をつけた係員が客を案内する。

19 めぐ
20 でんどう
21 ほうふ
22 きがん
23 にぶ
24 かんるい
25 こうりょう
26 むか
27 さび
28 おと
29 のうむ
30 あま
31 びんそく
32 いんそつ
33 もくさつ
34 おおやけ
35 たいねつ
36 たんねん
37 まど
38 さわ
39 こし
40 わんしょう

かならず押さえる！
頻出度 A

読み——③

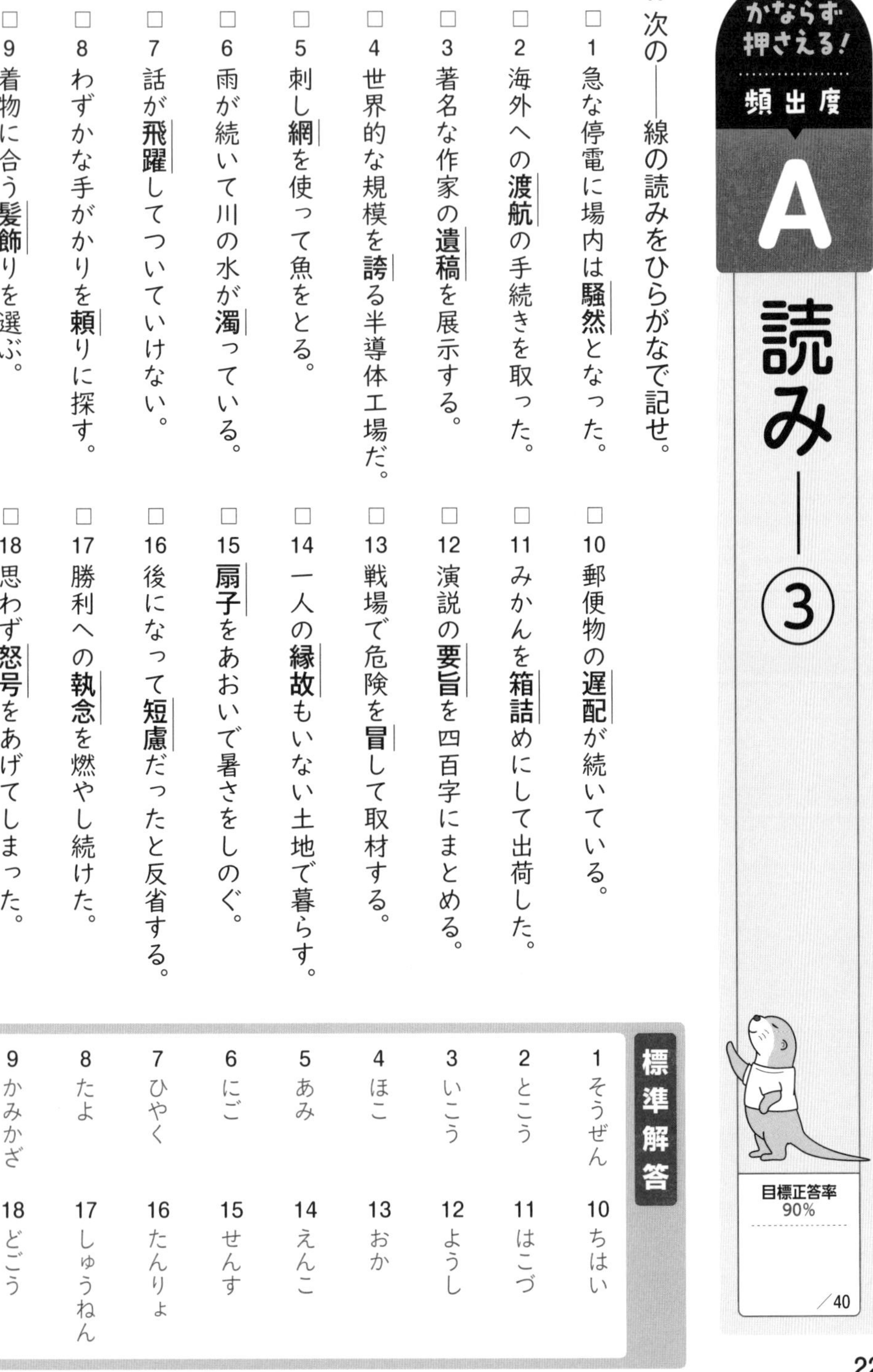

目標正答率 90%
／40

※次の——線の読みをひらがなで記せ。

□ 1 急な停電に場内は**騒然**となった。
□ 2 海外への**渡航**の手続きを取った。
□ 3 著名な作家の**遺稿**を展示する。
□ 4 世界的な規模を**誇**る半導体工場だ。
□ 5 刺し**網**を使って魚をとる。
□ 6 雨が続いて川の水が**濁**っている。
□ 7 話が**飛躍**してついていけない。
□ 8 わずかな手がかりを**頼**りに探す。
□ 9 着物に合う**髪飾**りを選ぶ。
□ 10 郵便物の**遅配**が続いている。
□ 11 みかんを**箱詰**めにして出荷した。
□ 12 演説の**要旨**を四百字にまとめる。
□ 13 戦場で危険を**冒**して取材する。
□ 14 一人の**縁故**もいない土地で暮らす。
□ 15 **扇子**をあおいで暑さをしのぐ。
□ 16 後になって**短慮**だったと反省する。
□ 17 勝利への**執念**を燃やし続けた。
□ 18 思わず**怒号**をあげてしまった。

標準解答

1 そうぜん
2 とこう
3 いこう
4 ほこ
5 あみ
6 にご
7 ひやく
8 たよ
9 かみかざ
10 ちはい
11 はこづ
12 ようし
13 おか
14 えんこ
15 せんす
16 たんりょ
17 しゅうねん
18 どごう

□ 19 **朱肉**のいらない印鑑です。

□ 20 **珍**しく兄が家を訪ねてきた。

□ 21 祖母はいま**療養**中です。

□ 22 一枚の絵が**趣**を添えている。

□ 23 商品が買い**占**められた。

□ 24 著作権を**侵**してはならない。

□ 25 元会長が**隠然**たる力を持っている。

□ 26 両者が歩み寄って**矛**を収めた。

□ 27 戦国時代の**史跡**を巡る旅に出る。

□ 28 **余暇**を利用してスポーツを楽しむ。

□ 29 大道芸人の技に**感嘆**の声があがる。

□ 30 ようやく機械の**扱**いに慣れてきた。

□ 31 **怖**いもの見たさに近づいた。

□ 32 友人に**恵**まれた学生時代だった。

□ 33 国内にパソコンが**普及**する。

□ 34 なだらかな**傾斜**が続く。

□ 35 この名酒は故郷の**誉**れだ。

□ 36 **送迎**用のバスを待っている。

□ 37 **幾**つもの仕事を経験してきた。

□ 38 台風で家屋が**壊**された。

□ 39 祖父は戦争で**悲惨**な体験をした。

□ 40 ハンカチを小川の水に**浸**す。

19 しゅにく
20 めずら
21 りょうよう
22 おもむき
23 し
24 おか
25 いんぜん
26 ほこ
27 しせき
28 よか
29 かんたん
30 あつか
31 こわ
32 めぐ
33 ふきゅう
34 けいしゃ
35 ほま
36 そうげい
37 いく
38 こわ
39 ひさん
40 ひた

かならず押さえる！
頻出度 A

読み―④

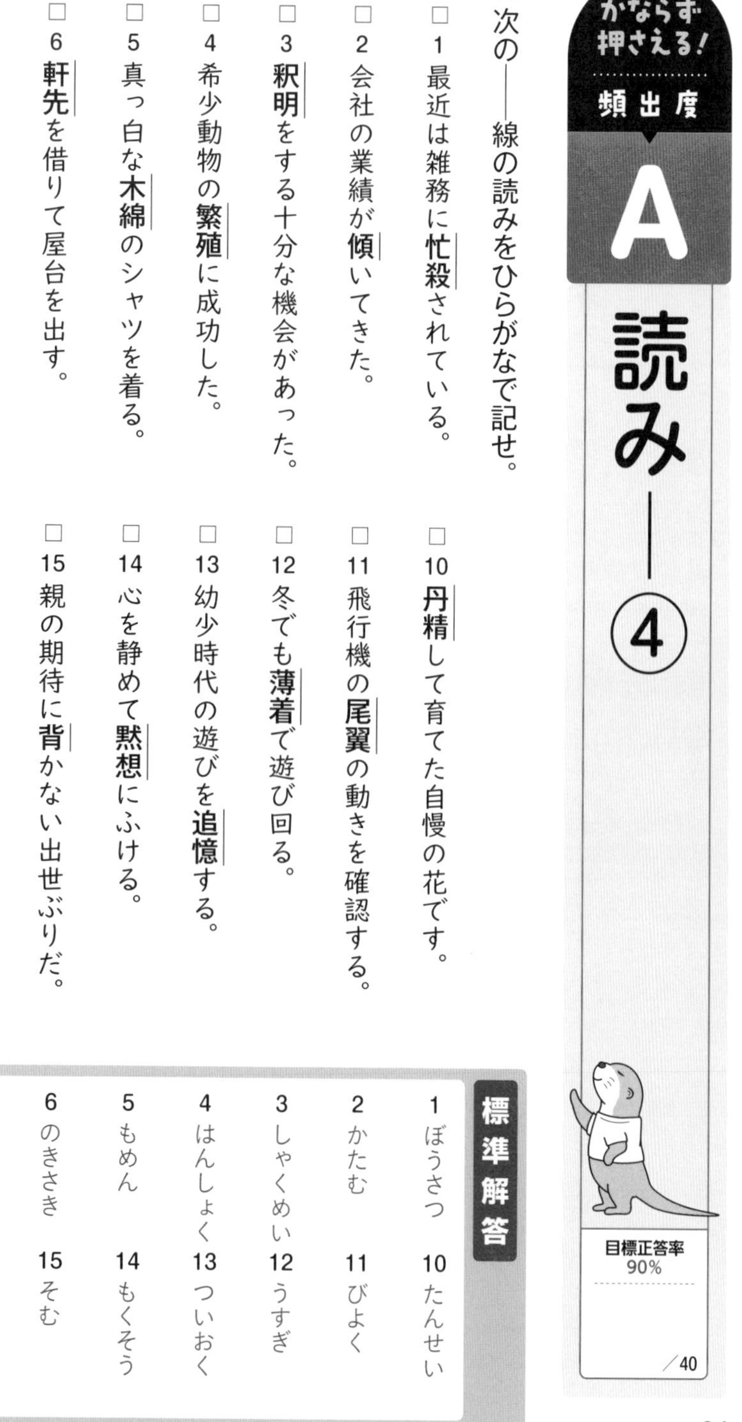

目標正答率 90%

／40

※次の――線の読みをひらがなで記せ。

□ 1 最近は雑務に**忙殺**されている。
□ 2 会社の業績が**傾**いてきた。
□ 3 **釈明**をする十分な機会があった。
□ 4 希少動物の**繁殖**に成功した。
□ 5 真っ白な**木綿**のシャツを着る。
□ 6 **軒先**を借りて屋台を出す。
□ 7 相場が**天井**を打った。
□ 8 薬品で鉄を**腐食**させる実験だ。
□ 9 長雨で野菜が**凶作**だ。
□ 10 **丹精**して育てた自慢の花です。
□ 11 飛行機の**尾翼**の動きを確認する。
□ 12 冬でも**薄着**で遊び回る。
□ 13 幼少時代の遊びを**追憶**する。
□ 14 心を静めて**黙想**にふける。
□ 15 親の期待に**背**かない出世ぶりだ。
□ 16 彼の博識には**脱帽**させられる。
□ 17 事態を**傍観**していてはいけない。
□ 18 カルシウムの**含有**量を調べる。

標準解答

1 ぼうさつ
2 かたむ
3 しゃくめい
4 はんしょく
5 もめん
6 のきさき
7 てんじょう
8 ふしょく
9 きょうさく
10 たんせい
11 びよく
12 うすぎ
13 ついおく
14 もくそう
15 そむ
16 だつぼう
17 ぼうかん
18 がんゆう

□ 19 初対面の印象が**鮮烈**に残っている。
□ 20 母と**婚礼**家具を買いに行った。
□ 21 **互**いに意地を張り合ったままだ。
□ 22 演技に**触発**されて脚本家になった。
□ 23 **寝食**を忘れて研究に打ち込む。
□ 24 新しい服がお気に**召**したようだ。
□ 25 運営資金の調達に**苦慮**する。
□ 26 **行儀**作法をしっかりしつけられた。
□ 27 駅までの見送りに息子を**遣**わす。
□ 28 議論がついに**大詰**めを迎えた。
□ 29 身勝手な人とは**到底**付き合えない。
□ 30 経済不安が全世界に**波及**する。
□ 31 **度重**なる不手ぎわを深くわびる。
□ 32 赤ちゃんはごきげん**斜**めです。
□ 33 儀式が**厳**かに行われた。
□ 34 容姿**端麗**な女性が表紙をかざる。
□ 35 最近**舗装**されたばかりの道路だ。
□ 36 **歓呼**の声がいつまでも続いた。
□ 37 投票日の前日まで**雄弁**に演説した。
□ 38 夫の死に際して**気丈**に振る舞う。
□ 39 著名な経済誌に論文を**寄稿**する。
□ 40 優秀な兄に**劣等**感を抱く。

19 せんれつ
20 こんれい
21 たが
22 しょくはつ
23 しんしょく
24 め
25 くりょ
26 ぎょうぎ
27 つか
28 おおづ
29 とうてい
30 はきゅう
31 たびかさ
32 なな
33 おごそ
34 たんれい
35 ほそう
36 かんこ
37 ゆうべん
38 きじょう
39 きこう
40 れっとう

かならず押さえる！
頻出度 A

読み――⑤

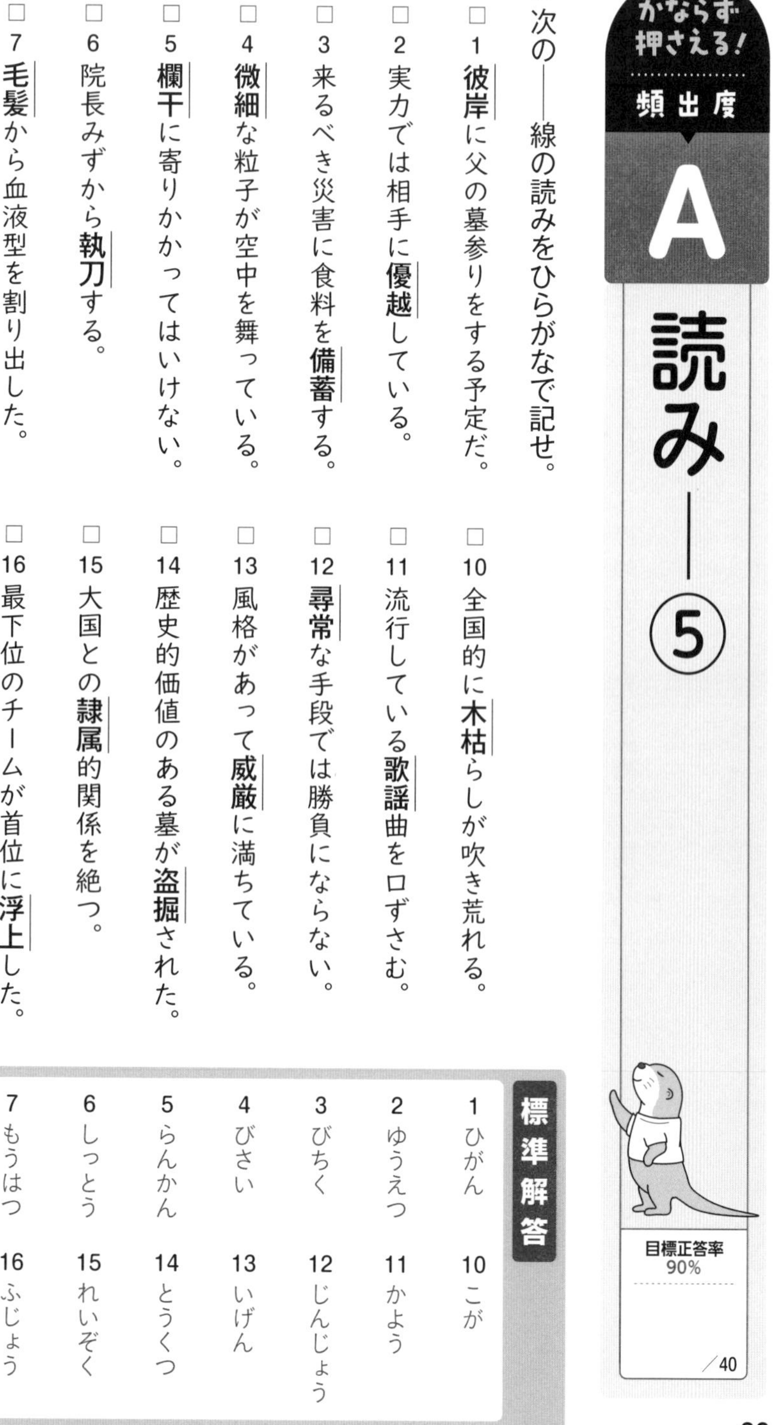

目標正答率 90%

／40

※次の――線の読みをひらがなで記せ。

□ 1 **彼岸**に父の墓参りをする予定だ。
□ 2 実力では相手に**優越**している。
□ 3 来るべき災害に食料を**備蓄**する。
□ 4 **微細**な粒子が空中を舞っている。
□ 5 **欄干**に寄りかかってはいけない。
□ 6 院長みずから**執刀**する。
□ 7 **毛髪**から血液型を割り出した。
□ 8 アゲハチョウの**羽化**を観察する。
□ 9 階段の**踊**り場で荷物を下ろす。
□ 10 全国的に**木枯**らしが吹き荒れる。
□ 11 流行している**歌謡**曲を口ずさむ。
□ 12 **尋常**な手段では勝負にならない。
□ 13 風格があって**威厳**に満ちている。
□ 14 歴史的価値のある墓が**盗掘**された。
□ 15 大国との**隷属**的関係を絶つ。
□ 16 最下位のチームが首位に**浮上**した。
□ 17 子どもが生まれ自宅が**手狭**になった。
□ 18 新記録の達成でファンが**熱狂**した。

標準解答

1 ひがん
2 ゆうえつ
3 びちく
4 びさい
5 らんかん
6 しっとう
7 もうはつ
8 うか
9 おど
10 こが
11 かよう
12 じんじょう
13 いげん
14 とうくつ
15 れいぞく
16 ふじょう
17 てぜま
18 ねっきょう

□ 19 今年は無事に**皆勤**できそうだ。
□ 20 都会で**忙**しい日々を送る。
□ 21 先代に比べ経営手腕が**見劣**りする。
□ 22 のびやかで**特徴**のある歌声だ。
□ 23 **隠居**しておだやかな生活を送る。
□ 24 白のヨットが青い**海原**に映える。
□ 25 食中毒により工場が**閉鎖**された。
□ 26 山頂付近は酸素が**希薄**だ。
□ 27 定刻通り旅客機が**離陸**した。
□ 28 会議が長時間に**及**んでいる。
□ 29 チームの仲間と**祝杯**を交わした。
□ 30 投資をして資産を**殖**やしている。
□ 31 派手な服装が**奇異**な感じを与える。
□ 32 失敗を**恐**れず難事に立ち向かう。
□ 33 里山の自然**環境**を保護する。
□ 34 親ゆずりの**天賦**の才能を授かる。
□ 35 他人を責めるのは**筋違**いだ。
□ 36 南極大陸横断の**冒険**にいどむ。
□ 37 春の山里は**桃源郷**を思わせる。
□ 38 表情がかなり**誇張**された絵だ。
□ 39 **柔和**な表情の人形だ。
□ 40 議事録を**箇条**書きでまとめた。

19 かいきん
20 いそが
21 みおと
22 とくちょう
23 いんきょ
24 うなばら
25 へいさ
26 きはく
27 りりく
28 およ
29 しゅくはい
30 ふ
31 きい
32 おそ
33 かんきょう
34 てんぷ
35 すじちが
36 ぼうけん
37 とうげんきょう
38 こちょう
39 にゅうわ
40 かじょう

かならず押さえる！
頻出度 A

読み――⑥

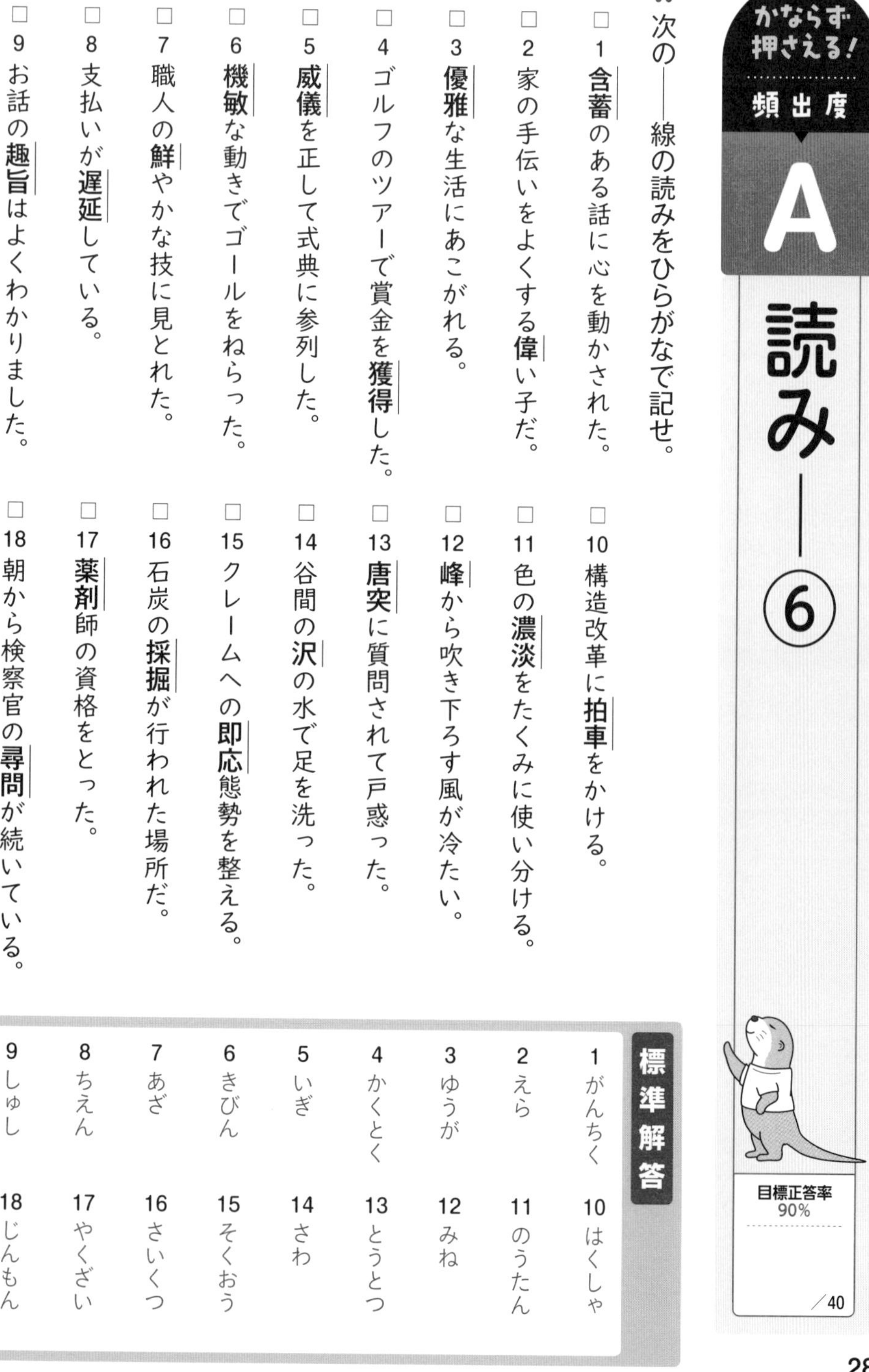

目標正答率 90%
／40

※次の――線の読みをひらがなで記せ。

□ 1 **含蓄**のある話に心を動かされた。
□ 2 家の手伝いをよくする**偉**い子だ。
□ 3 **優雅**な生活にあこがれる。
□ 4 ゴルフのツアーで賞金を**獲得**した。
□ 5 **威儀**を正して式典に参列した。
□ 6 **機敏**な動きでゴールをねらった。
□ 7 職人の**鮮**やかな技に見とれた。
□ 8 支払いが**遅延**している。
□ 9 お話の**趣旨**はよくわかりました。
□ 10 構造改革に**拍車**をかける。
□ 11 色の**濃淡**をたくみに使い分ける。
□ 12 **峰**から吹き下ろす風が冷たい。
□ 13 **唐突**に質問されて戸惑った。
□ 14 谷間の**沢**の水で足を洗った。
□ 15 クレームへの**即応**態勢を整える。
□ 16 石炭の**採掘**が行われた場所だ。
□ 17 **薬剤**師の資格をとった。
□ 18 朝から検察官の**尋問**が続いている。

標準解答

1 がんちく
2 えら
3 ゆうが
4 かくとく
5 いぎ
6 きびん
7 あざ
8 ちえん
9 しゅし
10 はくしゃ
11 のうたん
12 みね
13 とうとつ
14 さわ
15 そくおう
16 さいくつ
17 やくざい
18 じんもん

□ 19 生徒に課外活動を**是認**する。

□ 20 困難な問題に**悩**まされている。

□ 21 地元産業の**振興**を目指す。

□ 22 望遠鏡を用いて**恒星**を観察する。

□ 23 観光客向けにバスが**巡回**している。

□ 24 **思慮**分別に欠ける行動を注意する。

□ 25 荷物を**満載**したトラックが通る。

□ 26 新記録を樹立し**称賛**を浴びた。

□ 27 冬山は**静寂**に包まれていた。

□ 28 **秀麗**な女性を模写している。

□ 29 新しい仕事に**就**くことになった。

□ 30 受賞の**栄誉**に輝いた。

□ 31 校舎の**耐震**補強工事が行われる。

□ 32 身につけられた宝石が**光輝**を放つ。

□ 33 幼児には親の付き**添**いが必要だ。

□ 34 とても**慎**み深い人だ。

□ 35 大雨で川が**警戒**水位をこえた。

□ 36 この地方では**旧暦**の正月を祝う。

□ 37 日に焼けて**皮膚**が赤くなった。

□ 38 語学に**非凡**な才能を持っている。

□ 39 **低迷**からようやく脱却した。

□ 40 主人公に自分の姿を**投影**する。

19 ぜにん
20 なや
21 しんこう
22 こうせい
23 じゅんかい
24 しりょ
25 まんさい
26 しょうさん
27 せいじゃく
28 しゅうれい
29 つ
30 えいよ
31 たいしん
32 こうき
33 そ
34 つつし
35 けいかい
36 きゅうれき
37 ひふ
38 ひぼん
39 ていめい
40 とうえい

かならず押さえる！ 頻出度 A

読み―⑦

目標正答率 90%　／40

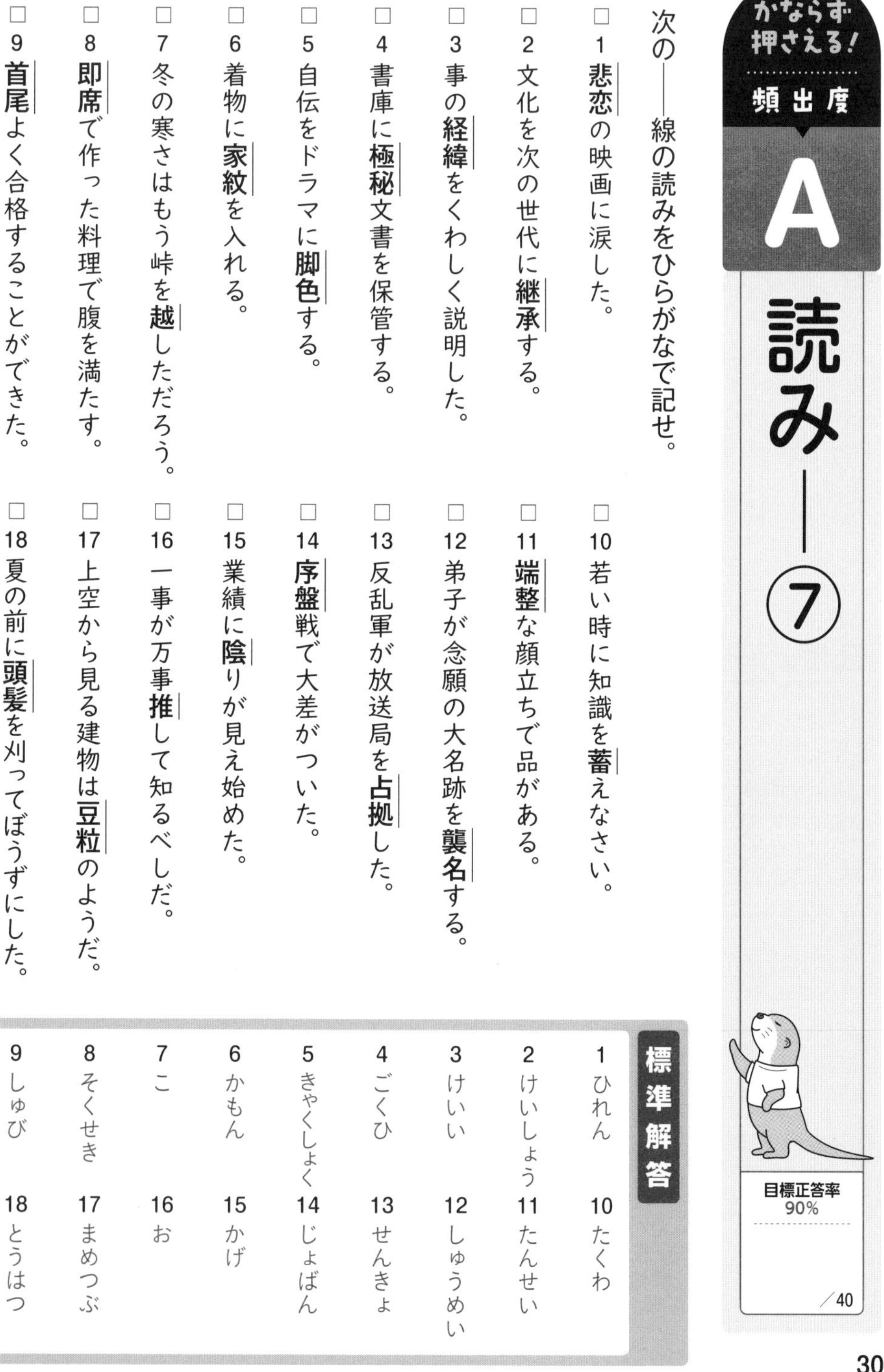

※次の――線の読みをひらがなで記せ。

□ 1 **悲恋**の映画に涙した。
□ 2 文化を次の世代に**継承**する。
□ 3 事の**経緯**をくわしく説明した。
□ 4 書庫に**極秘**文書を保管する。
□ 5 自伝をドラマに**脚色**する。
□ 6 着物に**家紋**を入れる。
□ 7 冬の寒さはもう峠を**越**しただろう。
□ 8 **即席**で作った料理で腹を満たす。
□ 9 **首尾**よく合格することができた。
□ 10 若い時に知識を**蓄**えなさい。
□ 11 **端整**な顔立ちで品がある。
□ 12 弟子が念願の大名跡を**襲名**する。
□ 13 反乱軍が放送局を**占拠**した。
□ 14 **序盤**戦で大差がついた。
□ 15 業績に**陰**りが見え始めた。
□ 16 一事が万事**推**して知るべしだ。
□ 17 上空から見る建物は**豆粒**のようだ。
□ 18 夏の前に**頭髪**を刈ってぼうずにした。

標準解答

1 ひれん
2 けいしょう
3 けいい
4 ごくひ
5 きゃくしょく
6 かもん
7 こ
8 そくせき
9 しゅび
10 たくわ
11 たんせい
12 しゅうめい
13 せんきょ
14 じょばん
15 かげ
16 お
17 まめつぶ
18 とうはつ

□ 19 地域の**民謡**を孫に伝える。

□ 20 温暖な気候で雑草がよく**茂**る。

□ 21 部屋の**装飾**にこっています。

□ 22 **本腰**を入れて勉強に取り組む。

□ 23 異なる種類の金属を**溶接**する。

□ 24 **突堤**に腰をおろし船を見送った。

□ 25 堂々とした**筆致**が彼の特徴だ。

□ 26 娘の**門出**を家族で祝福した。

□ 27 **隣人**の騒音に悩まされる。

□ 28 論文の記述に**矛盾**した点がある。

□ 29 **高慢**な態度でひんしゅくを買う。

□ 30 **起訴**状が読み上げられた。

□ 31 来客に**豪勢**な料理を振る舞う。

□ 32 長い**歳月**をかけてビルが完成した。

□ 33 目的を見失い日々**漫然**と過ごす。

□ 34 落選のしらせに**吐息**をもらした。

□ 35 全国に**販路**を拡大する計画だ。

□ 36 遠くの人物まで**鮮明**にうつす。

□ 37 **遅咲**きの桜が見ごろを迎えた。

□ 38 **珍妙**な姿に好奇の目が向けられる。

□ 39 不運な人生も宿命と考え**甘受**する。

□ 40 **比較**的今年の夏は暑いようだ。

19 みんよう
20 しげ
21 そうしょく
22 ほんごし
23 ようせつ
24 とってい
25 ひっち
26 かどで
27 りんじん
28 むじゅん
29 こうまん
30 きそ
31 ごうせい
32 さいげつ
33 まんぜん
34 といき
35 はんろ
36 せんめい
37 おそざ
38 ちんみょう
39 かんじゅ
40 ひかく

かならず押さえる！
頻出度 A

読み ⑧

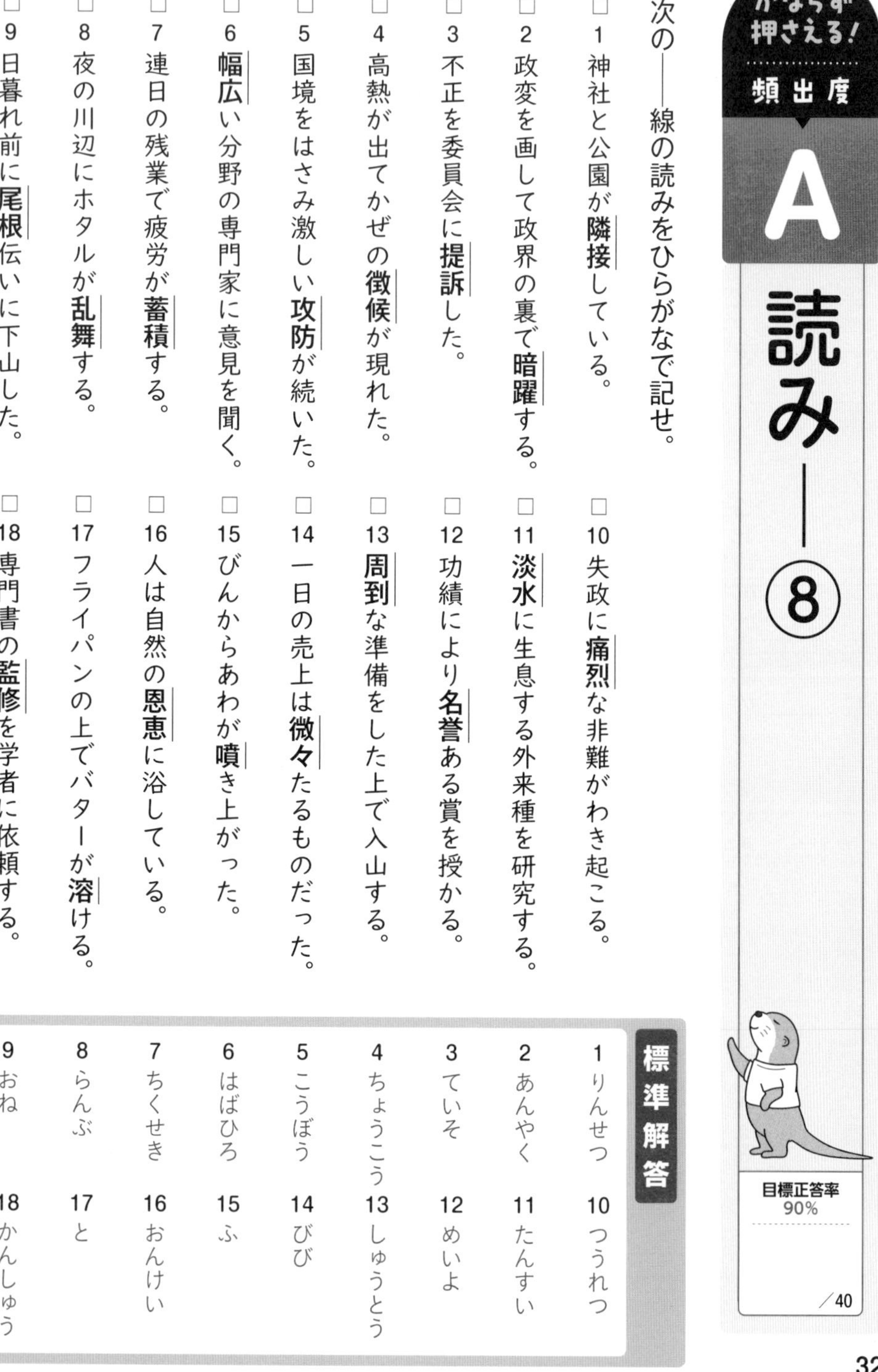

目標正答率 90%

／40

※次の――線の読みをひらがなで記せ。

□ 1 神社と公園が**隣接**している。

□ 2 政変を画して政界の裏で**暗躍**する。

□ 3 不正を委員会に**提訴**した。

□ 4 高熱が出てかぜの**徴候**が現れた。

□ 5 国境をはさみ激しい**攻防**が続いた。

□ 6 **幅広**い分野の専門家に意見を聞く。

□ 7 連日の残業で疲労が**蓄積**する。

□ 8 夜の川辺にホタルが**乱舞**する。

□ 9 日暮れ前に**尾根**伝いに下山した。

□ 10 失政に**痛烈**な非難がわき起こる。

□ 11 **淡水**に生息する外来種を研究する。

□ 12 功績により**名誉**ある賞を授かる。

□ 13 **周到**な準備をした上で入山する。

□ 14 一日の売上は**微々**たるものだった。

□ 15 びんからあわが**噴**き上がった。

□ 16 人は自然の**恩恵**に浴している。

□ 17 フライパンの上でバターが**溶**ける。

□ 18 専門書の**監修**を学者に依頼する。

標準解答

1 りんせつ
2 あんやく
3 ていそ
4 ちょうこう
5 こうぼう
6 はばひろ
7 ちくせき
8 らんぶ
9 おね
10 つうれつ
11 たんすい
12 めいよ
13 しゅうとう
14 びび
15 ふ
16 おんけい
17 と
18 かんしゅう

□19 創業百年の和菓子店を**継**いだ。
□20 流れがおだやかな川を小舟で**渡**る。
□21 郷土ににしきを飾れて**本望**だ。
□22 敵の**奇襲**を受けてあわてふためく。
□23 大の**甘党**で大福が一番の好物だ。
□24 息子が**腕白**盛りで手に余る。
□25 **一瞬**にして表情をこわばらせた。
□26 突然の歌手の悲報に**仰天**する。
□27 構内を**巡視**して安全を確認する。
□28 所定の**欄**に署名して判を押す。
□29 卒業生が多方面で**活躍**する。
□30 **高齢**を理由に一線を退いた。
□31 **完膚**なきまでに自説を論破された。
□32 居酒屋で仕事仲間と**歓談**する。
□33 ネコが**物陰**に身をひそめている。
□34 **縁側**に座って満月をながめる。
□35 書かれた字が**汚**くて判読が困難だ。
□36 手ごわい相手を前に**弱腰**になる。
□37 生徒たちの成績に**極端**な差がある。
□38 事件現場から**指紋**を採取する。
□39 口をすべらせて**馬脚**をあらわした。
□40 おごそかな**雅楽**の音色が響き渡る。

19 つ
20 わた
21 ほんもう
22 きしゅう
23 あまとう
24 わんぱく
25 いっしゅん
26 ぎょうてん
27 じゅんし
28 らん
29 かつやく
30 こうれい
31 かんぷ
32 かんだん
33 ものかげ
34 えんがわ
35 きたな
36 よわごし
37 きょくたん
38 しもん
39 ばきゃく
40 ががく

かならず押さえる！
頻出度 A

書き取り――①

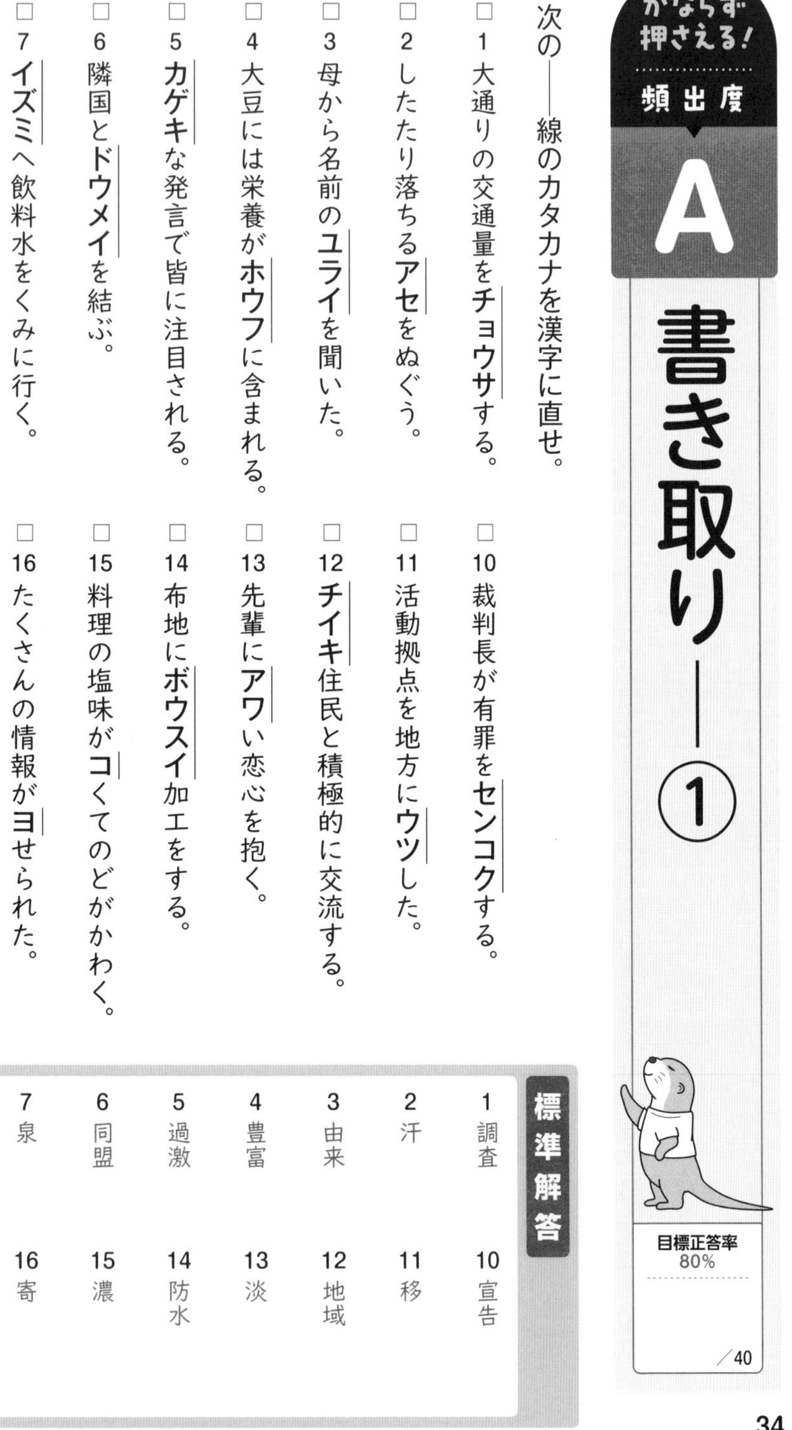

目標正答率 80%

／40

※次の――線のカタカナを漢字に直せ。

□ 1 大通りの交通量を**チョウサ**する。
□ 2 したたり落ちる**アセ**をぬぐう。
□ 3 母から名前の**ユライ**を聞いた。
□ 4 大豆には栄養が**ホウフ**に含まれる。
□ 5 **カゲキ**な発言で皆に注目される。
□ 6 隣国と**ドウメイ**を結ぶ。
□ 7 **イズミ**へ飲料水をくみに行く。
□ 8 赤い**キヌ**のスカーフが美しい。
□ 9 **シャソウ**から富士山が見えた。
□ 10 裁判長が有罪を**センコク**する。
□ 11 活動拠点を地方に**ウツ**した。
□ 12 **チイキ**住民と積極的に交流する。
□ 13 先輩に**アワ**い恋心を抱く。
□ 14 布地に**ボウスイ**加工をする。
□ 15 料理の塩味が**コ**くてのどがかわく。
□ 16 たくさんの情報が**ヨ**せられた。
□ 17 熱いシャワーが**キズ**口にしみる。
□ 18 コップを落として**ワ**ってしまった。

標準解答

1 調査
2 汗
3 由来
4 豊富
5 過激
6 同盟
7 泉
8 絹
9 車窓
10 宣告
11 移
12 地域
13 淡
14 防水
15 濃
16 寄
17 傷
18 割

□ 19 山でタケノコ**ガ**りを体験した。
□ 20 **カガヤ**かしい記録を打ち立てる。
□ 21 勤勉な息子を**ホコ**りに思う。
□ 22 誠意を**シメ**すことが大切だ。
□ 23 政府機関の秘密が**オオヤケ**になる。
□ 24 今後を**ウラナ**う大事な局面だ。
□ 25 無礼な言動に**イカ**りがこみ上げる。
□ 26 **ニ**げた犯人を追いかける。
□ 27 冬が近づいて草木が**カ**れる。
□ 28 **オニ**の目にもなみだ。
□ 29 大声で**サケ**んで助けを求めた。
□ 30 金属の表面には**コウタク**がある。
□ 31 ぬれた服を**カワ**かす。
□ 32 飼い犬がしっぽを**フ**っている。
□ 33 誠実な応対で**シンライ**を得る。
□ 34 自然に**メグ**まれた観光地を訪れる。
□ 35 父は**タボウ**な毎日を送っている。
□ 36 当初の予定が大幅に**クル**った。
□ 37 芸能人に**アクシュ**を求める。
□ 38 **コンザツ**を避けて出かける。
□ 39 よく**ネ**られた文章だ。
□ 40 郷里の母から手紙が**トド**いた。

19 狩
20 輝
21 誇
22 示
23 公
24 占
25 怒
26 逃
27 枯
28 鬼
29 叫
30 光沢
31 乾
32 振
33 信頼
34 恵
35 多忙
36 狂
37 握手
38 混雑
39 練
40 届

かならず押さえる！
頻出度 **A**

書き取り―②

目標正答率 80%

／40

※次の――線のカタカナを漢字に直せ。

□ 1 研究成果を実生活に**オウヨウ**する。
□ 2 **ハナスジ**の通った美人だ。
□ 3 知人を**タヨ**って上京する。
□ 4 非常停止ボタンを**オ**す。
□ 5 失敗を**セ**められ落ち込む。
□ 6 昼休みに学校の**ウラニワ**で遊ぶ。
□ 7 ラーメンの大**モ**りを注文した。
□ 8 決勝戦の会場に**イサ**んで出発した。
□ 9 毎朝六時に**キショウ**して散歩する。
□ 10 **オゴソ**かな空気をまとった神殿だ。
□ 11 会社の将来を**ミカギ**って転職した。
□ 12 迷子に**ヤサ**しく声をかける。
□ 13 自転車のペダルが**カラマワ**りする。
□ 14 遠足を前に心が**ウ**き立つ。
□ 15 皮をむいて種を取り**ノゾ**く。
□ 16 親友に**ナヤ**みを打ち明ける。
□ 17 争いごとは**コノ**まない性格だ。
□ 18 突然話を振られ返事に**コマ**った。

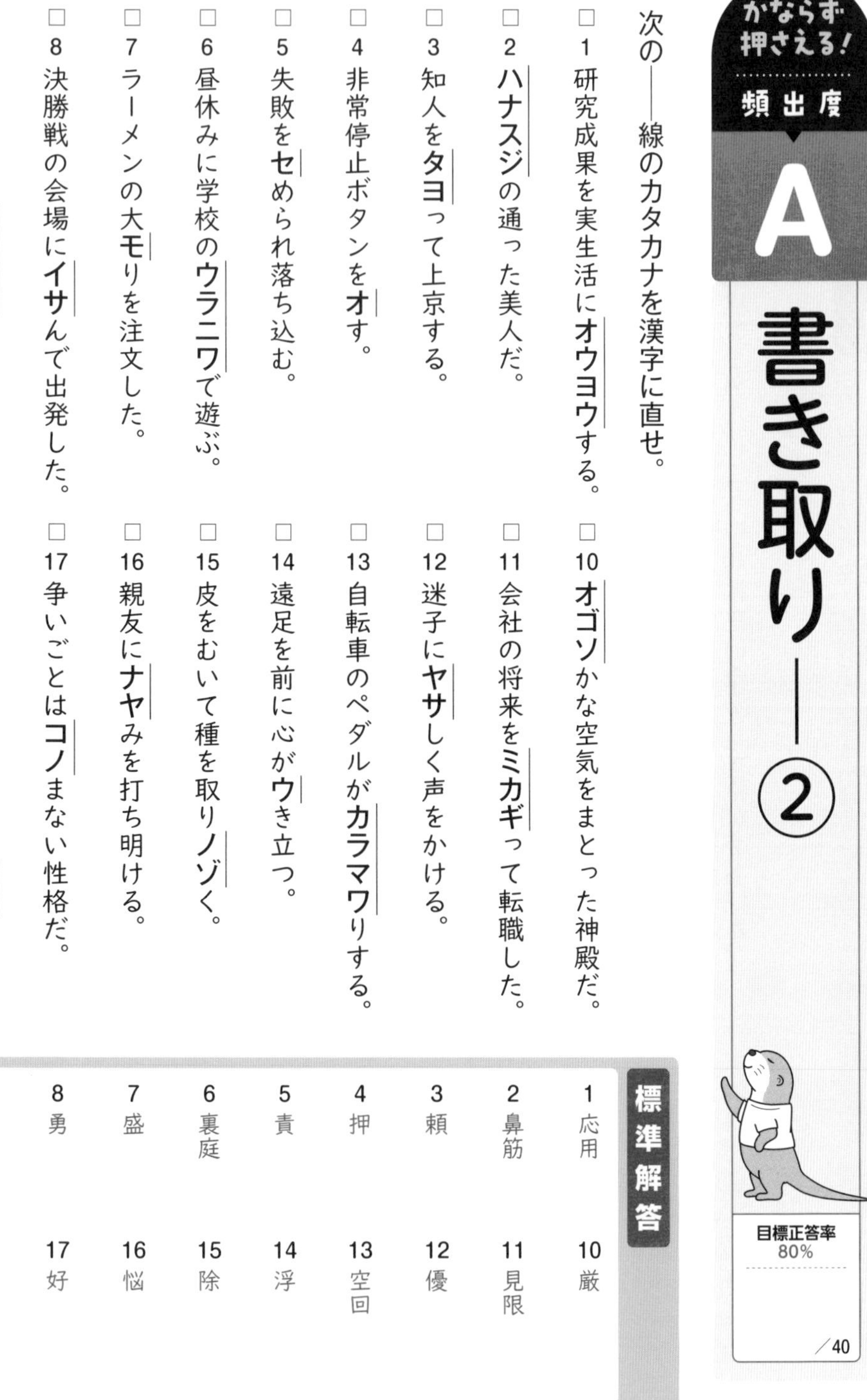

標準解答

1 応用
2 鼻筋
3 頼
4 押
5 責
6 裏庭
7 盛
8 勇
9 起床
10 厳
11 見限
12 優
13 空回
14 浮
15 除
16 悩
17 好
18 困

□ 19 人前で歌うのは**ハ**ずかしい。

□ 20 明日は**ソウリツ**記念日で休校だ。

□ 21 各家庭に配付するプリントを**ス**る。

□ 22 子どもたちは社会へと**スダ**った。

□ 23 けがをした小鳥の命を**スク**った。

□ 24 火の**アツカ**いに十分注意する。

□ 25 映画の**オウゴン**期をきずく。

□ 26 恋人の写真を**カタトキ**も離さない。

□ 27 ピアノの**エンソウ**会に行く。

□ 28 どろまみれで**ムチュウ**で遊んだ。

□ 29 冷たいグラスに**スイテキ**が付く。

□ 30 外出前に首元に**コウスイ**をつける。

□ 31 台風が去り**フツウ**の生活にもどる。

□ 32 突然の激しい**ライウ**に見舞われた。

□ 33 **アマ**いにおいに虫が引き寄せられる。

□ 34 秘仏を特別に**イッパン**に公開した。

□ 35 **オキ**まで舟をこいだ。

□ 36 ミネラルが豊富に**フク**まれる。

□ 37 血も**ナミダ**もない所業だ。

□ 38 年老いた両親を**カイゴ**する。

□ 39 耳を**ス**ませて虫の鳴き声をきく。

□ 40 事故に巻き込まれて**チコク**した。

19	恥	30	香水
20	創立	31	普通
21	刷	32	雷雨
22	巣立	33	甘
23	救	34	一般
24	扱	35	沖
25	黄金	36	含
26	片時	37	涙
27	演奏	38	介護
28	夢中	39	澄
29	水滴	40	遅刻

かならず押さえる!
頻出度 A

書き取り③

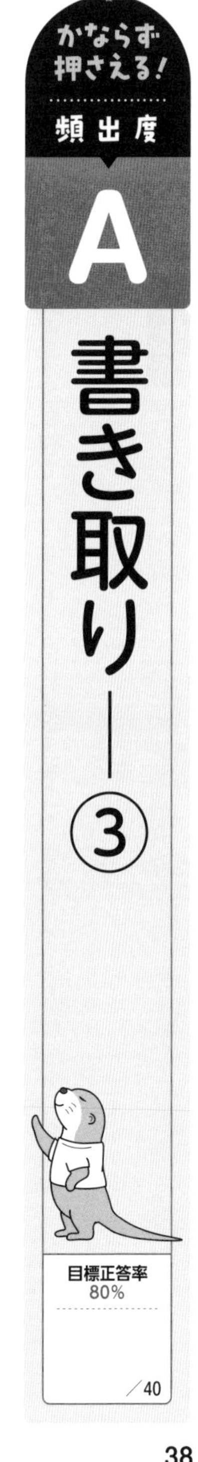

目標正答率 80%

／40

※次の――線のカタカナを漢字に直せ。

□ 1 ヨクバって両手一杯に花を摘んだ。
□ 2 先頭の走者をいっきにヌいた。
□ 3 おみくじでキョウを引く。
□ 4 温泉地の旅館にシュクハクする。
□ 5 墓参りをして祖先をウヤマう。
□ 6 罪人を法によってサバく。
□ 7 ユカにコーヒーをこぼした。
□ 8 何者かに部屋がアらされる。
□ 9 敵の包囲網からダッシュツする。
□ 10 ろうそくの火をフき消す。
□ 11 来るべきキョダイ地震に備える。
□ 12 センドの高い魚を味わった。
□ 13 深夜はヒトカゲもまばらだ。
□ 14 注文が予定よりオオハバに増えた。
□ 15 田園風景をキャンバスにエガく。
□ 16 ヒボンな才能の持ち主だ。
□ 17 中古車をハンバイする。
□ 18 息子の将来に不安をイダく。

標準解答

1	欲張	10	吹
2	抜	11	巨大
3	凶	12	鮮度
4	宿泊	13	人影
5	敬	14	大幅
6	裁	15	描
7	床	16	非凡
8	荒	17	販売
9	脱出	18	抱

□ 19 **ムスメ**に英会話を習わせる。
□ 20 諸外国と**ヒカク**して所得が高い。
□ 21 **ブタイ**に立ってスピーチをする。
□ 22 選手に**ネツレツ**な声援を送る。
□ 23 **ワタ**る世間に鬼はなし。
□ 24 一部の金持ちが富を**ドクセン**する。
□ 25 話題の**レンアイ**小説を読む。
□ 26 屋根に**ワタユキ**が積もる。
□ 27 希望に**モ**えて上京した。
□ 28 新生活の**カドデ**をいわう。
□ 29 やかんの水をなべに**ソソ**ぐ。
□ 30 **カリ**に晴れてもイベントは中止だ。
□ 31 君子**アヤ**うきに近寄らず。
□ 32 大切な**ヒミツ**が外部にもれた。
□ 33 駅前の騒音**タイサク**を考える。
□ 34 卒業祝いに**ハナタバ**を贈った。
□ 35 解職の**ショメイ**運動を行った。
□ 36 サポーターを**マ**いていたみをまぎらす。
□ 37 入賞者に記念品が**オク**られた。
□ 38 **コショウ**したバイクを修理に出す。
□ 39 文章を半分に**アッシュク**する。
□ 40 犬を家で**カ**うことになった

19 娘	20 比較	21 舞台	22 熱烈
23 渡	24 独占	25 恋愛	26 綿雪
27 燃	28 門出	29 注	
30 仮	31 危	32 秘密	33 対策
34 花束	35 署名	36 巻	37 贈
38 故障	39 圧縮	40 飼	

かならず押さえる！
頻出度
A

書き取り――④

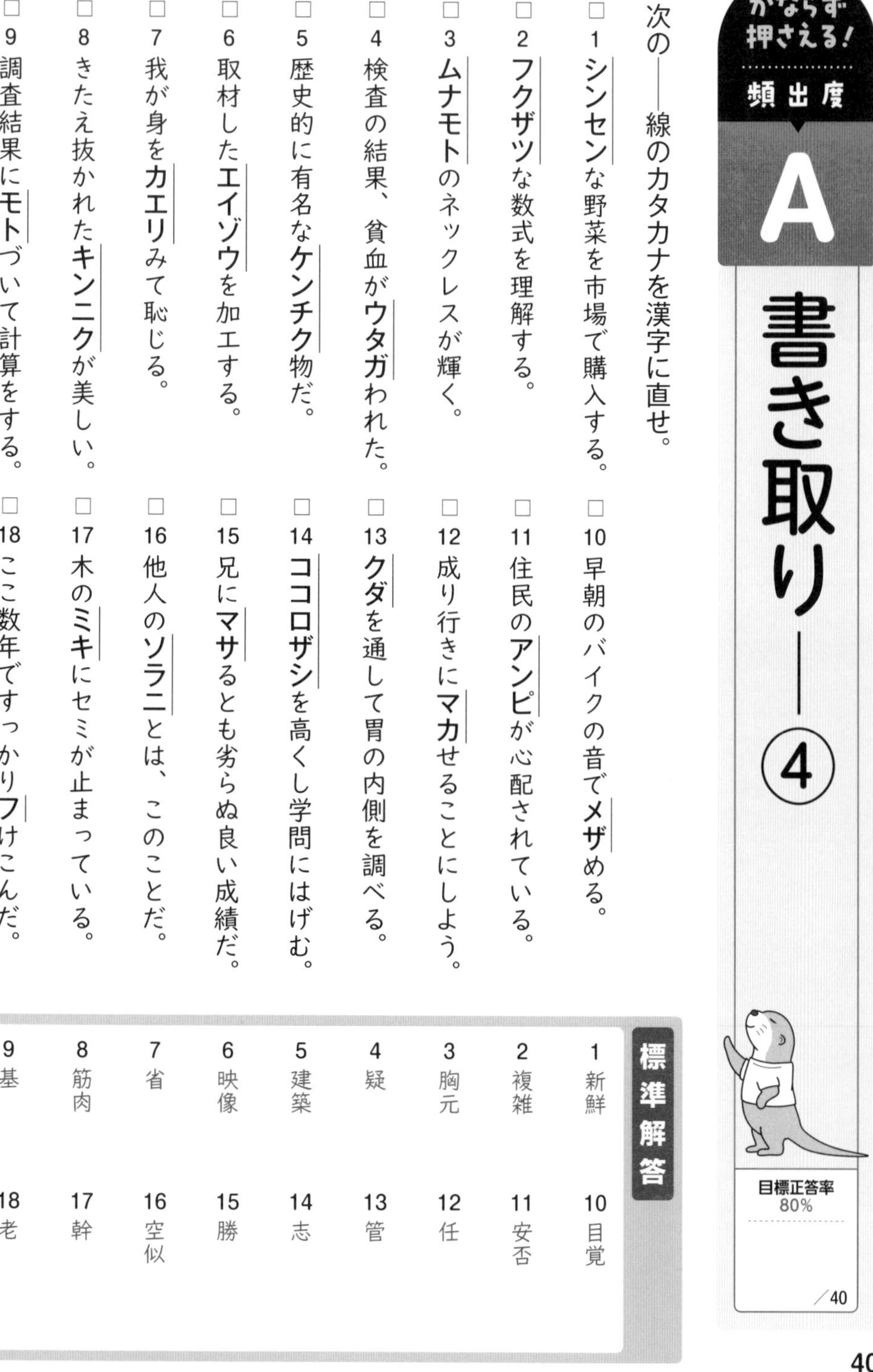

目標正答率 80%

／40

※次の――線のカタカナを漢字に直せ。

□ 1 シンセンな野菜を市場で購入する。
□ 2 フクザツな数式を理解する。
□ 3 ムナモトのネックレスが輝く。
□ 4 検査の結果、貧血がウタガわれた。
□ 5 歴史的に有名なケンチク物だ。
□ 6 取材したエイゾウを加工する。
□ 7 我が身をカエリみて恥じる。
□ 8 きたえ抜かれたキンニクが美しい。
□ 9 調査結果にモトづいて計算をする。
□ 10 早朝のバイクの音でメザめる。
□ 11 住民のアンピが心配されている。
□ 12 成り行きにマカせることにしよう。
□ 13 クダを通して胃の内側を調べる。
□ 14 ココロザシを高くし学問にはげむ。
□ 15 兄にマサるとも劣らぬ良い成績だ。
□ 16 他人のソラニとは、このことだ。
□ 17 木のミキにセミが止まっている。
□ 18 ここ数年ですっかりフけこんだ。

標準解答

1 新鮮
2 複雑
3 胸元
4 疑
5 建築
6 映像
7 省
8 筋肉
9 基
10 目覚
11 安否
12 任
13 管
14 志
15 勝
16 空似
17 幹
18 老

□ 19 店の軒先で**アマヤド**りする。
□ 20 異論が噴出し決定を**ホリュウ**した。
□ 21 **ヨゴ**れたシャツを手洗いする。
□ 22 極悪非道であくまの**ケシン**のようだ。
□ 23 毎日の猛特訓で疲れ**ハ**てる。
□ 24 不用意な言葉で非難を**ア**びる。
□ 25 礼儀正しく**コウカン**の持てる人だ。
□ 26 空が**クレナイ**色にそまる。
□ 27 選手の**イクセイ**に力を入れる。
□ 28 名古屋を**ケイユ**して京都に行く。
□ 29 勇気を**フル**い起こして試験に臨む。
□ 30 親としての**ココロガマ**えを持つ。
□ 31 土砂くずれで道が**スンダン**された。
□ 32 **テシオ**にかけて野菜をそだてる。
□ 33 **ホ**しい結果はでなかった。
□ 34 道に**マヨ**って交番に駆け込んだ。
□ 35 焼き肉にレモンを一滴**タ**らした。
□ 36 **ノゾ**みを捨てず最後まで努力する。
□ 37 間違いを認めて素直に**アヤマ**った。
□ 38 日が**ク**れる前に帰宅する。
□ 39 勤務**タイド**が悪い人を注意する。
□ 40 ザリガニをあみで**ツカ**まえる。

19 雨宿
20 保留
21 汚
22 化身
23 果
24 浴
25 好感
26 紅
27 育成
28 経由
29 奮
30 心構
31 寸断
32 手塩
33 欲
34 迷
35 垂
36 望
37 謝
38 暮
39 態度
40 捕

かならず押さえる！ 頻出度 A

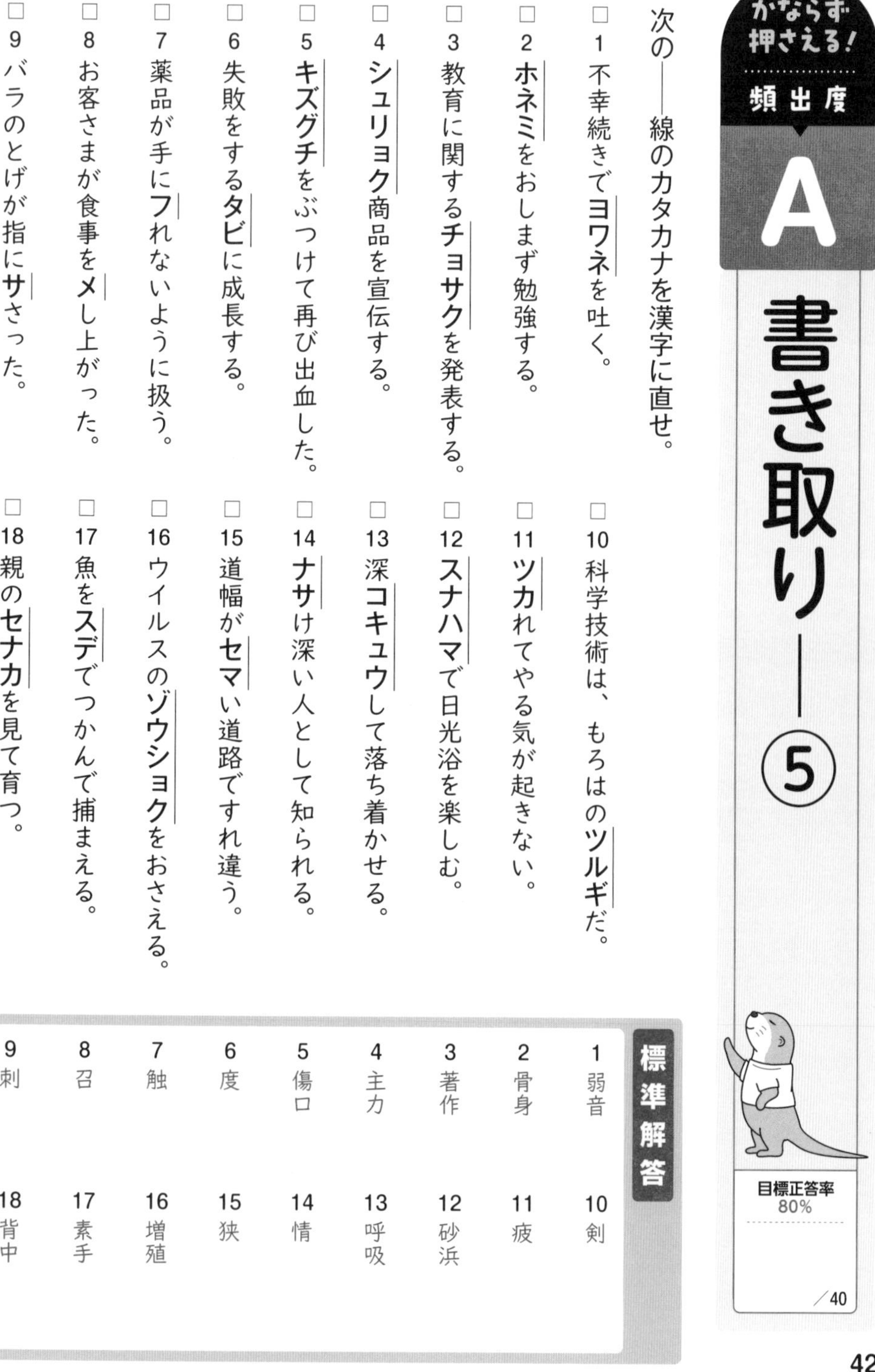

書き取り——⑤

目標正答率 80%

／40

※次の——線のカタカナを漢字に直せ。

□ 1 不幸続きで**ヨワネ**を吐く。

□ 2 **ホネミ**をおしまず勉強する。

□ 3 教育に関する**チョサク**を発表する。

□ 4 **シュリョク**商品を宣伝する。

□ 5 **キズグチ**をぶつけて再び出血した。

□ 6 失敗をする**タビ**に成長する。

□ 7 薬品が手に**フ**れないように扱う。

□ 8 お客さまが食事を**メ**し上がった。

□ 9 バラのとげが指に**サ**さった。

□ 10 科学技術は、もろはの**ツルギ**だ。

□ 11 **ツカ**れてやる気が起きない。

□ 12 **スナハマ**で日光浴を楽しむ。

□ 13 深**コキュウ**して落ち着かせる。

□ 14 **ナサ**け深い人として知られる。

□ 15 道幅が**セマ**い道路ですれ違う。

□ 16 ウイルスの**ゾウショク**をおさえる。

□ 17 魚を**スデ**でつかんで捕まえる。

□ 18 親の**セナカ**を見て育つ。

標準解答

1 弱音
2 骨身
3 著作
4 主力
5 傷口
6 度
7 触
8 召
9 刺
10 剣
11 疲
12 砂浜
13 呼吸
14 情
15 狭
16 増殖
17 素手
18 背中

□ 19 水は無色**トウメイ**な液体だ。

□ 20 自分で意見を**ノ**べる。

□ 21 相手の**ニ**え切らない態度におこる。

□ 22 幼少期からピアノを**ヒ**く。

□ 23 粒子の細かい**コナ**を水に溶かす。

□ 24 **リョウシツ**な石炭を採掘する。

□ 25 **ウチュウ**飛行士にあこがれる。

□ 26 母校のチームを**オウエン**する。

□ 27 長年**マズ**しい生活に耐えた。

□ 28 週末に**コイビト**と映画に出かける。

□ 29 恵まれた**カンキョウ**の中で育つ。

□ 30 **キョタイ**をゆすって大笑いする。

□ 31 大黒柱として家族を**ササ**える。

□ 32 明るい**シキサイ**の服を着る。

□ 33 **ケイシャ**のきつい坂道を上る。

□ 34 向こう側は立ち入り制限**クイキ**だ。

□ 35 ゴールするまで油断は**キンモツ**だ。

□ 36 事故の状況を**クワ**しく説明する。

□ 37 新しい販売先を**カイタク**する。

□ 38 ささやかな抵抗を**ココロ**みる。

□ 39 **ヌマ**にすむ魚を観察する。

□ 40 テーブルの上に**ショッキ**を並べる。

19	透明	30	巨体
20	述	31	支
21	煮	32	色彩
22	弾	33	傾斜
23	粉	34	区域
24	良質	35	禁物
25	宇宙	36	詳
26	応援	37	開拓
27	貧	38	試
28	恋人	39	沼
29	環境	40	食器

かならず押さえる！ 頻出度 A

書き取り—⑥

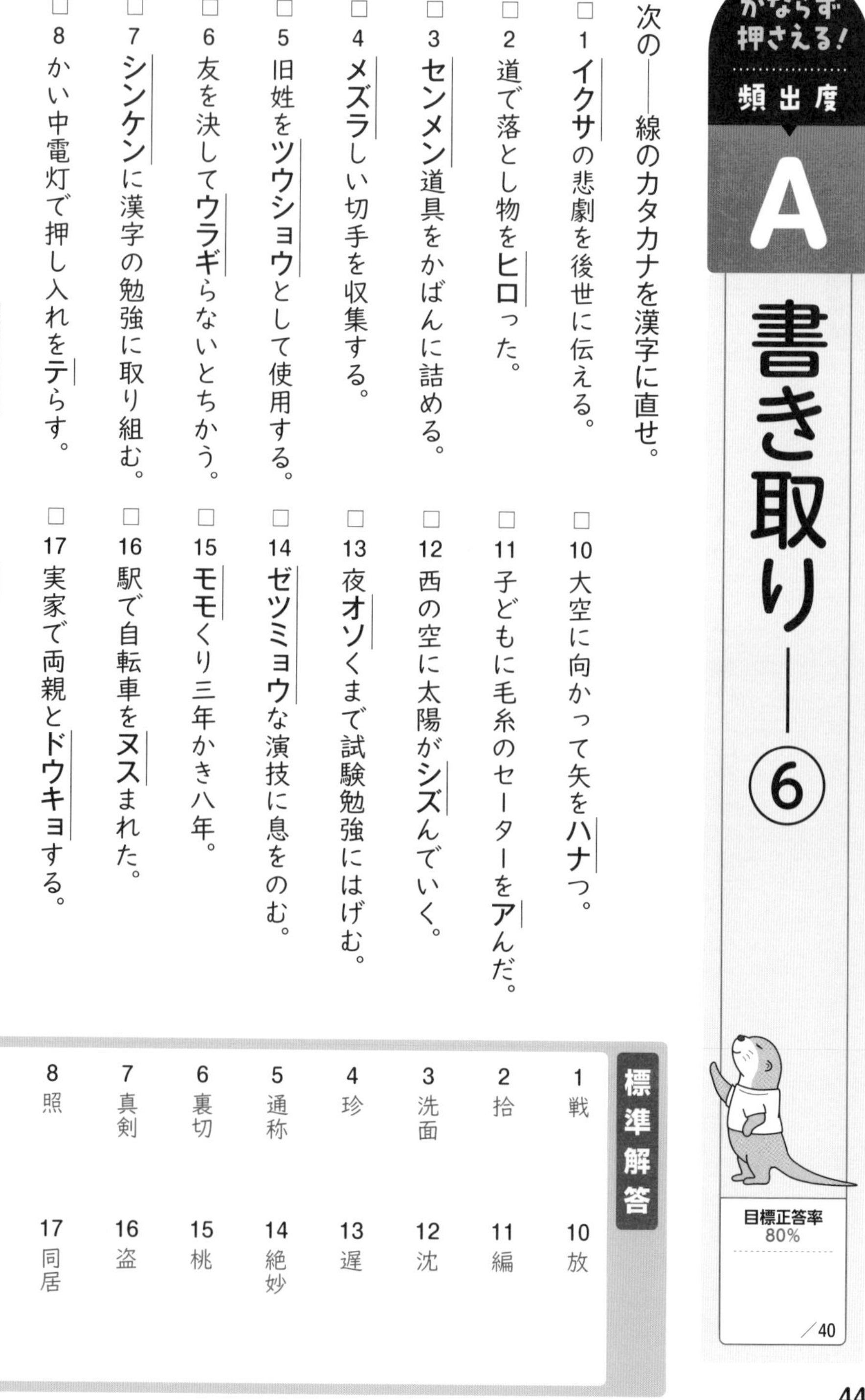

目標正答率 80%

／40

※次の——線のカタカナを漢字に直せ。

- □ 1 **イクサ**の悲劇を後世に伝える。
- □ 2 道で落とし物を**ヒロ**った。
- □ 3 **センメン**道具をかばんに詰める。
- □ 4 **メズラ**しい切手を収集する。
- □ 5 旧姓を**ツウショウ**として使用する。
- □ 6 友を決して**ウラギ**らないとちかう。
- □ 7 **シンケン**に漢字の勉強に取り組む。
- □ 8 かい中電灯で押し入れを**テ**らす。
- □ 9 けい約を二年おきに**コウシン**する。
- □ 10 大空に向かって矢を**ハナ**つ。
- □ 11 子どもに毛糸のセーターを**ア**んだ。
- □ 12 西の空に太陽が**シズ**んでいく。
- □ 13 夜**オソ**くまで試験勉強にはげむ。
- □ 14 **ゼツミョウ**な演技に息をのむ。
- □ 15 **モモ**くり三年かき八年。
- □ 16 駅で自転車を**ヌス**まれた。
- □ 17 実家で両親と**ドウキョ**する。
- □ 18 **ヤブ**れかぶれの奇策が成功した。

標準解答

1	戦	10	放
2	拾	11	編
3	洗面	12	沈
4	珍	13	遅
5	通称	14	絶妙
6	裏切	15	桃
7	真剣	16	盗
8	照	17	同居
9	更新	18	破

- □ 19 前回の失敗が**オ**を引いている。
- □ 20 公園で子どもが**コウゴ**に遊具で遊ぶ。
- □ 21 敵陣目指して**トッシン**する。
- □ 22 部活動で毎日**イソガ**しい。
- □ 23 横暴**キワ**まる行いにあきれる。
- □ 24 盛大な**ハクシュ**が送られる。
- □ 25 **ヘイボン**な日常を日記につづる。
- □ 26 医学**ハカセ**の学位を授けられた。
- □ 27 一家五人を**ヤシナ**っている。
- □ 28 初もうでで家族の健康を**イノ**る。
- □ 29 家のすぐ近くに**カミナリ**が落ちた。
- □ 30 学業で**ユウシュウ**な成績を収める。
- □ 31 **ロクオン**した曲を再生する。
- □ 32 食塩水の**ノウド**を計算する。
- □ 33 作品に**ドクジ**の工夫を盛り込んだ。
- □ 34 デザインが**ニカヨ**っている。
- □ 35 新幹線の指定席を**ヨヤク**する。
- □ 36 重要な取引先の**タントウ**になった。
- □ 37 銀行に自分の全財産を**アズ**けた。
- □ 38 **ヒミツ**を守りとおす。
- □ 39 失敗した**ワケ**を当事者にたずねる。
- □ 40 毛布を**アッシュク**して片付ける。

19 尾	20 交互	21 突進	22 忙
23 極	24 拍手	25 平凡	26 博士
27 養	28 祈	29 雷	30 優秀
31 録音	32 濃度	33 独自	34 似通
35 予約	36 担当	37 預	38 秘密
39 訳	40 圧縮		

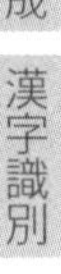

かならず押さえる！ 頻出度 A

書き取り⑦

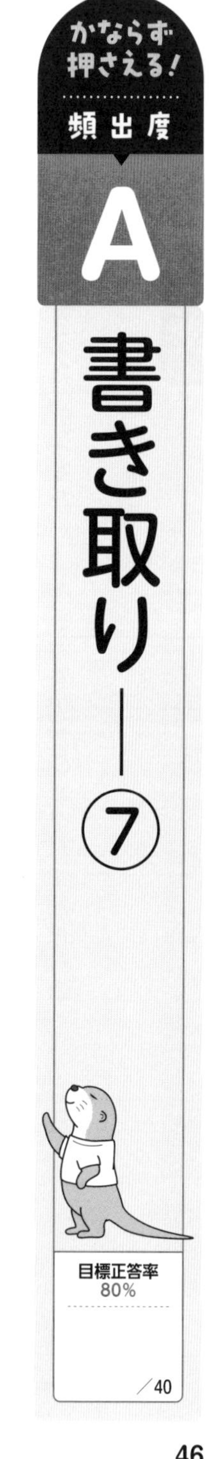

目標正答率 80%

／40

※次の——線のカタカナを漢字に直せ。

□ 1 道が入り組んでいてメイロの様だ。
□ 2 カンケツに要点を記載する。
□ 3 練習のコウカが現れてきた。
□ 4 天日でホした魚は、一味違う。
□ 5 ボウエキ港に荷物を運ぶ。
□ 6 結婚という人生のフシメを迎えた。
□ 7 ねこのヒタイほどの広さです。
□ 8 祖母は機オりをなりわいとしていた。
□ 9 ダンペン的な知識を整理する。
□ 10 心を開いてスガオを見せてくれた。
□ 11 日常会話テイドの英語が話せる。
□ 12 めでたく子どもをサズかった。
□ 13 川にソって散歩した。
□ 14 物差しのメモりを正確に読む。
□ 15 メガネをかけて細かい字を見る。
□ 16 カンラン車に乗って町を見下ろす。
□ 17 ノウゼイの期日が迫っている。
□ 18 ゼツボウの中で一筋の光を見つけた。

標準解答

1 迷路
2 簡潔
3 効果
4 干
5 貿易
6 節目
7 額
8 織
9 断片
10 素顔
11 程度
12 授
13 沿
14 目盛
15 眼鏡
16 観覧
17 納税
18 絶望

- □ 19 集団では**キソク**に従って行動する。
- □ 20 人の先頭にたつ**ウツワ**ではない。
- □ 21 世界各国の観光地を**オトズ**れた。
- □ 22 町内会長を二期**ツト**めた。
- □ 23 **ネフダ**の価格から割引になった。
- □ 24 駅前の**ホウチ**自転車をなくそう。
- □ 25 成功を収め**フルス**にもどってきた。
- □ 26 相手から感謝の言葉を**イタダ**いた。
- □ 27 人間関係に大切なのは**キクバ**りだ。
- □ 28 古い組織に**カザアナ**を開ける。
- □ 29 予算の**ウチワケ**を調べる。
- □ 30 **フルキズ**を温泉でいやす。
- □ 31 友人を**マネ**いて誕生日を祝った。
- □ 32 富士山は日本で**モット**も高い山だ。
- □ 33 彼は思わず**ホンネ**をのぞかせた。
- □ 34 大勢の前で**ベンゼツ**を振るう。
- □ 35 **センゾク**スタッフを多数抱えている。
- □ 36 目抜き通りは人の往来が**タ**えない。
- □ 37 **カセン**の水位を報告する。
- □ 38 景気は**ケワ**しい局面に突入した。
- □ 39 変化が**ハゲ**しい時代を生きる。
- □ 40 著名な絵画の前に人が**ムラ**がった。

19 規則	20 器	21 訪	22 務	23 値札	24 放置	25 古巣	26 頂	27 気配	28 風穴	29 内訳
30 古傷	31 招	32 最	33 本音	34 弁舌	35 専属	36 絶	37 河川	38 険	39 激	40 群

かならず押さえる！ 頻出度 A

四字熟語 ― ①

目標正答率 80%

／40

※次の――線のカタカナを漢字に直し、四字熟語を完成させよ。

□ 1 五里霧チュウ〔物事の手がかりにとまどうこと〕
□ 2 天災地ヘン〔自然現象によって起こる災害〕
□ 3 金カ玉条〔一番大切な決まりや法律〕
□ 4 頭寒足ネツ〔頭を冷やして足を温めること〕
□ 5 真剣勝ブ〔命がけでいどむこと〕
□ 6 豊年マン作〔農作物がよく実り収かくが多い年〕
□ 7 狂キ乱舞〔非常によろこぶ様子〕
□ 8 牛イン馬食〔むやみに大酒・大食いをすること〕
□ 9 現ジョウ維持〔今のようすがそのまま変化しない〕
□ 10 シン賞必罰〔きびしく賞罰を行うこと〕
□ 11 七難ハッ苦〔ありとあらゆる苦しみ〕
□ 12 縦オウ無尽〔自由自在にふるまう様子〕
□ 13 ハク利多売〔少ない利益で品物を多く売る商法〕
□ 14 付和雷ドウ〔他人の言動に軽々しく合わせること〕
□ 15 ハク覧強記〔書物に親しみ知識が豊富なこと〕
□ 16 容シ端麗〔すがたかたちが美しいさま〕
□ 17 絶タイ絶命〔追い詰められて逃げられない様子〕
□ 18 青天ハク日〔後ろ暗いことがまったくない〕

標準解答

1 五里霧中（ごりむちゅう）
2 天災地変（てんさいちへん）
3 金科玉条（きんかぎょくじょう）
4 頭寒足熱（ずかんそくねつ）
5 真剣勝負（しんけんしょうぶ）
6 豊年満作（ほうねんまんさく）
7 狂喜乱舞（きょうきらんぶ）
8 牛飲馬食（ぎゅういんばしょく）
9 現状維持（げんじょういじ）
10 信賞必罰（しんしょうひつばつ）
11 七難八苦（しちなんはっく）
12 縦横無尽（じゅうおうむじん）
13 薄利多売（はくりたばい）
14 付和雷同（ふわらいどう）
15 博覧強記（はくらんきょうき）
16 容姿端麗（ようしたんれい）
17 絶体絶命（ぜったいぜつめい）
18 青天白日（せいてんはくじつ）

□ 19 沈思黙**コウ**〔だまってじっとかんがえ込むこと〕

□ 20 故**ジ**来歴〔物ごとのいわれと歴史〕

□ 21 一進一**タイ**〔状態がよくなったり悪くなったりする〕

□ 22 青息**ト**息〔非常に困ったり苦しんだりする状態〕

□ 23 **ハッ**方美人〔みなによく思われるようふるまう〕

□ 24 **モン**答無用〔話し合っても何の意味もないこと〕

□ 25 同**コウ**異曲〔外見はともかく内容はだいたい同じ〕

□ 26 半**シン**半疑〔本当かどうか迷うこと〕

□ 27 自**キュウ**自足〔自分に必要なものを自分で生産すること〕

□ 28 論旨明**カイ**〔意見がはっきりして筋道が通っている〕

□ 29 奇想天**ガイ**〔思いもよらない変わった考え〕

□ 30 有為**テン**変〔この世の物事が常に移ろうこと〕

□ 31 **キ**機一髪〔きわめてきけんがせまっている状態〕

□ 32 **ビ**辞麗句〔うわべだけ飾った内容のない言葉〕

□ 33 **ム**味乾燥〔内容がなくおもしろみもないこと〕

□ 34 疑**シン**暗鬼〔うたがいだすと何でも不安に思う〕

□ 35 是非**ゼン**悪〔物事のよしあし〕

□ 36 名所**キュウ**跡〔景色や城あとなどが名高いところ〕

□ 37 一**コク**千金〔わずかな時間が非常に貴重なこと〕

□ 38 時**セツ**到来〔よい機会がやってくること〕

□ 39 **キョウ**味本位〔面白いかどうかを中心にした考え〕

□ 40 不眠不**キュウ**〔少しもやすまず物事を熱心にやる様子〕

---

19 沈思黙考（ちんしもっこう）
20 故事来歴（こじらいれき）
21 一進一退（いっしんいったい）
22 青息吐息（あおいきといき）
23 八方美人（はっぽうびじん）
24 問答無用（もんどうむよう）
25 同工異曲（どうこういきょく）
26 半信半疑（はんしんはんぎ）
27 自給自足（じきゅうじそく）
28 論旨明快（ろんしめいかい）
29 奇想天外（きそうてんがい）
30 有為転変（ういてんぺん）
31 危機一髪（ききいっぱつ）
32 美辞麗句（びじれいく）
33 無味乾燥（むみかんそう）
34 疑心暗鬼（ぎしんあんき）
35 是非善悪（ぜひぜんあく）
36 名所旧跡（めいしょきゅうせき）
37 一刻千金（いっこくせんきん）
38 時節到来（じせつとうらい）
39 興味本位（きょうみほんい）
40 不眠不休（ふみんふきゅう）

かならず押さえる！ 頻出度 A

四字熟語 ②

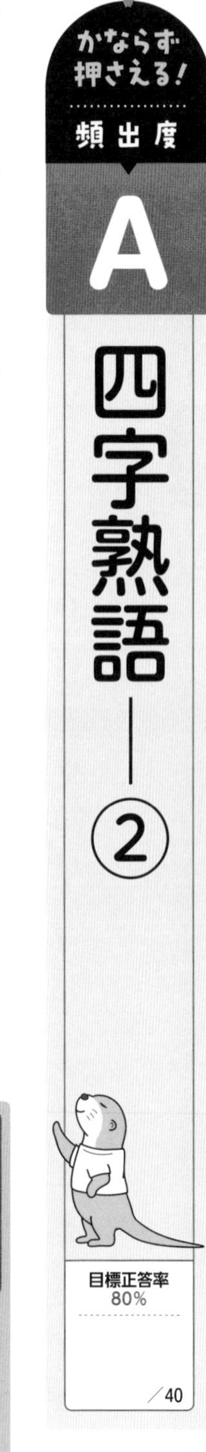

目標正答率 80%

／40

※次の——線のカタカナを漢字に直し、四字熟語を完成させよ。

□ 1 イロ同音〔大勢が同じ事を言うこと〕

□ 2 イ志薄弱〔成しとげる気持ちが弱いさま〕

□ 3 一網打ジン〔一度に悪人をとらえつくすこと〕

□ 4 一心不ラン〔わきめもふらず一つの事に集中する〕

□ 5 思慮フン別〔深く考え道理をわきまえること〕

□ 6 雲サン霧消〔あとかたもなく消え去ること〕

□ 7 意気ショウ沈〔元気がなくしょげること〕

□ 8 完全無ケツ〔どこから見ても短所がないこと〕

□ 9 創意エフウ〔新しい思いつきや手段〕

□ 10 玉石コン交〔よいものと劣ったものがまじっている〕

□ 11 抱腹ゼッ倒〔ころげ回るほど大笑いすること〕

□ 12 一キョ両得〔一つの事をして二つの利益を得る〕

□ 13 タン刀直入〔前置きなしに本題に入ること〕

□ 14 多事多タン〔仕事が多く忙しいこと〕

□ 15 名ジツ一体〔評判とじっさいが一致していること〕

□ 16 議ロン百出〔さまざまな意見が数多く出ること〕

□ 17 悪事セン里〔悪いうわさは伝わりやすい〕

□ 18 弱肉強ショク〔弱い者が強い者のぎせいになること〕

標準解答

1 異口同音（いくどうおん）
2 意志薄弱（いしはくじゃく）
3 一網打尽（いちもうだじん）
4 一心不乱（いっしんふらん）
5 思慮分別（しりょふんべつ）
6 雲散霧消（うんさんむしょう）
7 意気消沈（いきしょうちん）
8 完全無欠（かんぜんむけつ）
9 創意工夫（そういくふう）
10 玉石混交（ぎょくせきこんこう）
11 抱腹絶倒（ほうふくぜっとう）
12 一挙両得（いっきょりょうとく）
13 単刀直入（たんとうちょくにゅう）
14 多事多端（たじたたん）
15 名実一体（めいじついったい）
16 議論百出（ぎろんひゃくしゅつ）
17 悪事千里（あくじせんり）
18 弱肉強食（じゃくにくきょうしょく）

- □ 19 私リ私欲 〔自分のりえきだけを考え望むこと〕
- □ 20 電光セッ火 〔動作が素早い様子〕
- □ 21 古コン東西 〔昔からいままで、あちらこちら〕
- □ 22 七テン八倒 〔ひどく苦しみ、転げ回ること〕
- □ 23 平身テイ頭 〔頭を下げてひたすら謝ること〕
- □ 24 優柔フ断 〔いつまでも物事の決断ができないこと〕
- □ 25 大器晩セイ 〔大人物はおくれて頭角を現すこと〕
- □ 26 喜色満メン 〔うれしさが顔中にあふれるさま〕
- □ 27 アク戦苦闘 〔困難の中で必死に努力すること〕
- □ 28 温故チ新 〔昔のことから新しい価値をしること〕
- □ 29 有名無ジツ 〔評判とじっ際が違っていること〕
- □ 30 ゼン途有望 〔将来非常に見込みがあること〕
- □ 31 率セン垂範 〔自ら進んで手本を示すこと〕
- □ 32 自画自サン 〔自分で自分をほめること〕
- □ 33 人メン獣心 〔義理人情をわきまえない冷たい人〕
- □ 34 意シ堅固 〔こころざしがとても強いこと〕
- □ 35 難攻フ落 〔堅固で征服しにくいこと〕
- □ 36 オ名返上 〔悪い評判をしりぞけること〕
- □ 37 フ言実行 〔理屈をこねず黙って実行すること〕
- □ 38 品コウ方正 〔おこないが正しくきちんとしている様子〕
- □ 39 門戸カイ放 〔自由に出入りできるようにすること〕
- □ 40 起承転ケツ 〔文章の構成法や物事の順序〕

- 19 私利私欲（しりしよく）
- 20 電光石火（でんこうせっか）
- 21 古今東西（ここんとうざい）
- 22 七転八倒（しちてんばっとう）
- 23 平身低頭（へいしんていとう）
- 24 優柔不断（ゆうじゅうふだん）
- 25 大器晩成（たいきばんせい）
- 26 喜色満面（きしょくまんめん）
- 27 悪戦苦闘（あくせんくとう）
- 28 温故知新（おんこちしん）
- 29 有名無実（ゆうめいむじつ）
- 30 前途有望（ぜんとゆうぼう）
- 31 率先垂範（そっせんすいはん）
- 32 自画自賛（じがじさん）
- 33 人面獣心（じんめんじゅうしん）
- 34 意志堅固（いしけんご）
- 35 難攻不落（なんこうふらく）
- 36 汚名返上（おめいへんじょう）
- 37 不言実行（ふげんじっこう）
- 38 品行方正（ひんこうほうせい）
- 39 門戸開放（もんこかいほう）
- 40 起承転結（きしょうてんけつ）

かならず押さえる！
頻出度

A 送りがな——①

目標正答率 75%
／40

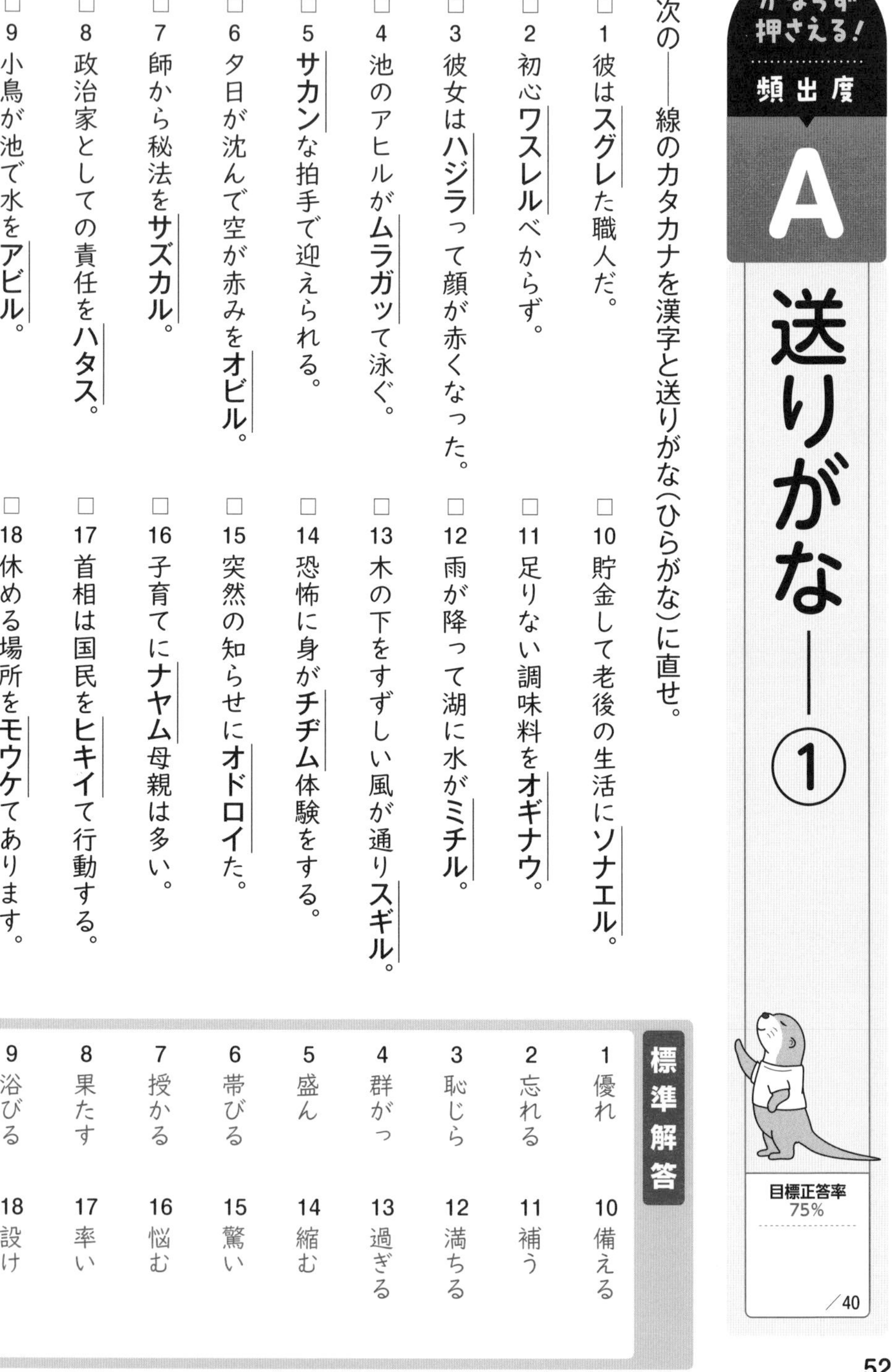

※次の——線のカタカナを漢字と送りがな（ひらがな）に直せ。

□ 1 彼は**スグレ**た職人だ。
□ 2 初心**ワスレル**べからず。
□ 3 彼女は**ハジラ**って顔が赤くなった。
□ 4 池のアヒルが**ムラガッ**て泳ぐ。
□ 5 **サカン**な拍手で迎えられる。
□ 6 夕日が沈んで空が赤みを**オビル**。
□ 7 師から秘法を**サズカル**。
□ 8 政治家としての責任を**ハタス**。
□ 9 小鳥が池で水を**アビル**。
□ 10 貯金して老後の生活に**ソナエル**。
□ 11 足りない調味料を**オギナウ**。
□ 12 雨が降って湖に水が**ミチル**。
□ 13 木の下をすずしい風が通り**スギル**。
□ 14 恐怖に身が**チヂム**体験をする。
□ 15 突然の知らせに**オドロイ**た。
□ 16 子育てに**ナヤム**母親は多い。
□ 17 首相は国民を**ヒキイ**て行動する。
□ 18 休める場所を**モウケ**てあります。

標準解答

1 優れ
2 忘れる
3 恥じら
4 群がっ
5 盛ん
6 帯びる
7 授かる
8 果たす
9 浴びる
10 備える
11 補う
12 満ちる
13 過ぎる
14 縮む
15 驚い
16 悩む
17 率い
18 設け

□ 19 目が**サメル**と自分の家にいた。
□ 20 仕事を終えて**ヤスラカ**に眠る。
□ 21 勝利をかけて**アラソウ**。
□ 22 忠告を**アマンジ**て受け入れる。
□ 23 疑うに**タリル**証拠がある。
□ 24 祖母はじっと仏像を**オガン**だ。
□ 25 **ミダレ**た国を建て直す。
□ 26 天の**サバキ**を受けるだろう。
□ 27 思い出を胸に**キザム**。
□ 28 冷蔵庫で生ものを**クサラス**。
□ 29 価格に送料は**フクマ**ない。

□ 30 社説を通して異論を**トナエル**。
□ 31 笑顔で接する方が**コノマシイ**。
□ 32 問題の答えを**タシカメル**。
□ 33 両親の言葉に**シタガウ**。
□ 34 深い川底が**スケテ**見える。
□ 35 目を**カガヤカ**せて思い出を語った。
□ 36 不用意な態度を**アヤマル**。
□ 37 停電の影響が広範囲に**オヨブ**。
□ 38 美術館に人々が**ツラナル**。
□ 39 突然の事故で意識を**ウシナッ**た。
□ 40 **タノモシイ**青年に成長した。

19 覚める
20 安らか
21 争う
22 甘んじ
23 足りる
24 拝ん
25 乱れ
26 裁き
27 刻む
28 腐らす
29 含ま
30 唱える
31 好ましい
32 確かめる
33 従う
34 透けて
35 輝か
36 謝る
37 及ぶ
38 連なる
39 失っ
40 頼もしい

かならず押さえる！ 頻出度 A

送りがな——②

目標正答率 75%　／40

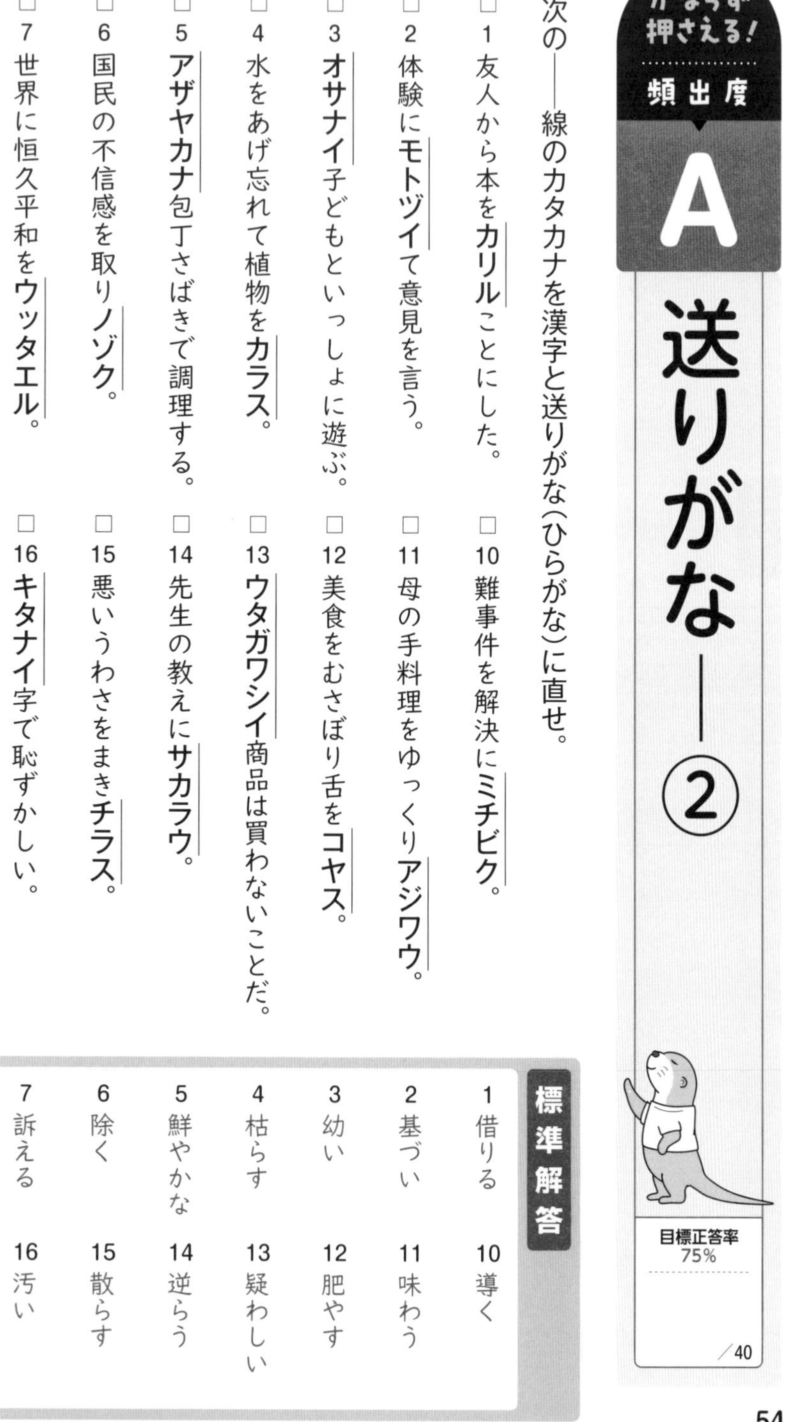

※次の——線のカタカナを漢字と送りがな（ひらがな）に直せ。

□ 1 友人から本を**カリル**ことにした。

□ 2 体験に**モトヅイ**て意見を言う。

□ 3 **オサナイ**子どもといっしょに遊ぶ。

□ 4 水をあげ忘れて植物を**カラス**。

□ 5 **アザヤカナ**包丁さばきで調理する。

□ 6 国民の不信感を取り**ノゾク**。

□ 7 世界に恒久平和を**ウッタエル**。

□ 8 **コトナル**考えも尊重すべきだ。

□ 9 転居の手続きを**スマセル**。

□ 10 難事件を解決に**ミチビク**。

□ 11 母の手料理をゆっくり**アジワウ**。

□ 12 美食をむさぼり舌を**コヤス**。

□ 13 **ウタガワシイ**商品は買わないことだ。

□ 14 先生の教えに**サカラウ**。

□ 15 悪いうわさをまき**チラス**。

□ 16 **キタナイ**字で恥ずかしい。

□ 17 裏道を通って混雑を**サケル**。

□ 18 全国大会優勝の夢を**イダク**。

標準解答

1 借りる　2 基づい　3 幼い　4 枯らす　5 鮮やかな　6 除く　7 訴える　8 異なる　9 済ませる

10 導く　11 味わう　12 肥やす　13 疑わしい　14 逆らう　15 散らす　16 汚い　17 避ける　18 抱く

□ 19 旅先で他国の文化に**フレル**。
□ 20 風雨にさらされ屋根が**クチル**。
□ 21 **アヤウク**事故をまぬかれた。
□ 22 バレリーナは**カロヤカ**に舞う。
□ 23 中国語の実力を**ヤシナウ**。
□ 24 昔からの**シタシイ**友人を失う。
□ 25 国会で**ハゲシイ**討論が続いている。
□ 26 大木の根元にキノコが**ハエテ**いる。
□ 27 **エラソウ**な口調で答えた。
□ 28 恩師を心から**ウヤマウ**。
□ 29 ガラスの破片が指に**ササッ**た。
□ 30 **メズラシイ**切手を収集する。
□ 31 方針をめぐって意見が二つに**ワレル**。
□ 32 子どもが外で**サワイデ**いる。
□ 33 長年愛用したカメラが**コワレ**た。
□ 34 社会問題を新聞で多く**アツカッ**た。
□ 35 手に汗を**ニギル**接戦だ。
□ 36 お墓に線香を**ソナエル**。
□ 37 会場に豊かな音色が**ヒビキ**渡る。
□ 38 ウグイスは春を**ツゲル**鳥だ。
□ 39 貯金で当座の経営を**ササエル**。
□ 40 糸を**ソメテ**布をおる。

19 触れる	20 朽ちる	21 危うく	22 軽やか	23 養う	24 親しい	25 激しい	26 生えて	27 偉そう	28 敬う	29 刺さっ
30 珍しい	31 割れる	32 騒いで	33 壊れ	34 扱っ	35 握る	36 供える	37 響き	38 告げる	39 支える	40 染めて

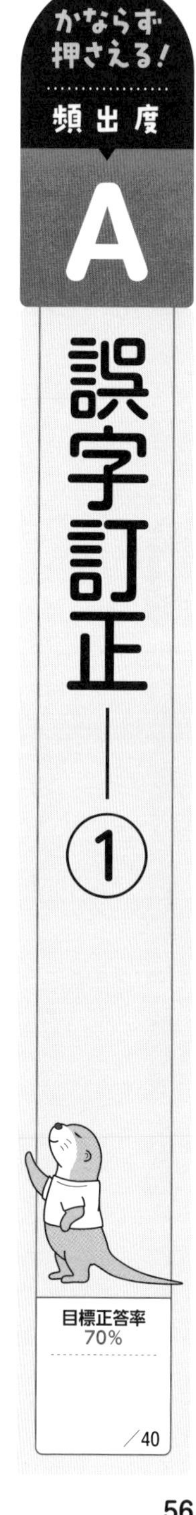

誤字訂正——①

※次の文中にまちがって使われている漢字が一字ある。同じ音訓の正しい漢字を記せ。

- □ 1 事故の被害者を救互車で病院に運んだ。
- □ 2 母校の総立記念祝典の招待を受けた。
- □ 3 公務員の載用試験を受ける決心をした。
- □ 4 集入の半分以上を家賃にあてる。
- □ 5 人工補存料を含まない食品を販売する。
- □ 6 漢字が多い文面で難しい印承を与える。
- □ 7 地震にも耐えられる健造物を構想する。
- □ 8 観行地に国内外から来訪者が殺到する。
- □ 9 各人が要点を制理して試験に備える。
- □ 10 人気俳優の踏場で客席から歓声が上がった。
- □ 11 事業の多角化を進めて経営の案定を図る。
- □ 12 古い体質の組織を思い切って改格する。
- □ 13 住民に定期総会への賛加を呼びかける。
- □ 14 父兄が教育方震について熱く議論する。
- □ 15 派手な演出の舞台が観客の好表を博した。
- □ 16 作定した予算案が議会で否決された。
- □ 17 打撃は特意だが送球に難がある野手だ。
- □ 18 試験の申込書の杯布期間をしらべる。

標準解答

1	互→護	10	踏→登
2	総→創	11	案→安
3	載→採	12	格→革
4	集→収	13	賛→参
5	補→保	14	震→針
6	承→象	15	表→評
7	健→建	16	作→策
8	行→光	17	特→得
9	制→整	18	杯→配

□ 19 経費を見直した結果、出費が限少した。
□ 20 最新式の接備と機能を誇る製油工場だ。
□ 21 訓練された犬が急援のため派遣された。
□ 22 新規の商品の広補を綿密に比較する。
□ 23 容器を再利用して監境への負荷をへらす。
□ 24 故郷からの頼りで友人の結婚を知る。
□ 25 雄史以来、宗教と文化は密接な関係だ。
□ 26 金製の宝飾品の輸出量が純調に増える。
□ 27 先行き不透明な情勢で株価が低鳴する。
□ 28 猛烈な台風が産業活動に仕障をきたす。
□ 29 合格率を一覧票にして生徒にわたした。
□ 30 従業員全員が驚異的な能力を発期した。
□ 31 室内を一定温度にたもち生物を仕育する。
□ 32 毎晩夜空を見上げて天体を観刷する。
□ 33 友人に借金返済の帰日を指定した。
□ 34 鋭利目的での会館の使用はひかえる。
□ 35 熱心な指動のおかげで成績が上がった。
□ 36 消火訓連では係員の指示に従う。
□ 37 なお与断を許さぬ状況に不安が高まる。
□ 38 警官の働きで最悪の事待は避けられた。
□ 39 議員団が政府占用機で隣国に到着した。
□ 40 牛乳は召味期限の表示をたしかめて買う。

19 限→減
20 接→設
21 急→救
22 広→候
23 監→環
24 頼→便
25 雄→有
26 純→順
27 鳴→迷
28 仕→支
29 票→表
30 期→揮
31 仕→飼
32 刷→察
33 帰→期
34 鋭→営
35 動→導
36 連→練
37 与→予
38 待→態
39 占→専
40 召→賞

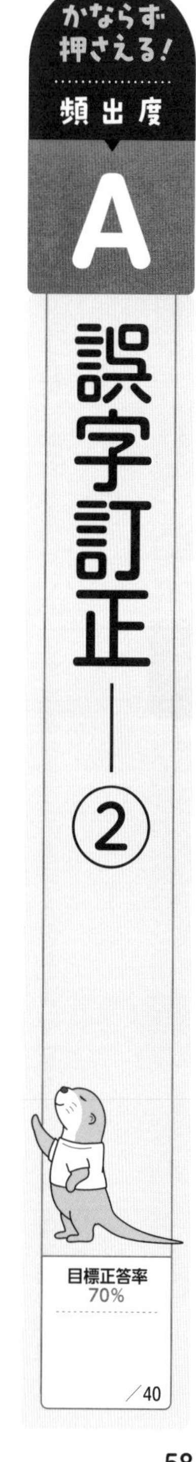

誤字訂正―②

※次の文中にまちがって使われている漢字が一字ある。同じ音訓の正しい漢字を記せ。

□ 1 台風で床上浸水や停電などの否害が出る。

□ 2 先週の台風で傷んだ屋根を保修する。

□ 3 海外の大基模な工場で商品を生産する。

□ 4 見物客が殺到したため入場を制減した。

□ 5 生徒会が校則について当論を重ねた。

□ 6 機器の定期点験で故障を未然に防ぐ。

□ 7 清度の改革が急務との意見で一致した。

□ 8 借金の返載期間を十年に設定した。

□ 9 食品に賞味期限と原材料を表字する。

□ 10 小学生を対象に科学館を無料解放した。

□ 11 新進の脚本家による芝居が上援された。

□ 12 城壁は非較的近年になって築造された。

□ 13 市内の交流試合で確上の選手に勝った。

□ 14 業積の改善に一心に努め株価が安定した。

□ 15 貴重な水産資元を求めて航海に出る。

□ 16 添示会が間近で職員は全員、残業続きだ。

□ 17 大雨で広範位に避難警報が発令された。

□ 18 出張のため往複割引航空券を買った。

標準解答

1 否→被
2 保→補
3 基→規
4 減→限
5 当→討
6 験→検
7 清→制
8 載→済
9 字→示
10 解→開
11 援→演
12 非→比
13 確→格
14 積→績
15 元→源
16 添→展
17 位→囲
18 複→復

□ 19 会社から停留所までの距離を計側した。
□ 20 歓心の的は専ら昨今の外交問題だ。
□ 21 学術資量を収集して論文にまとめる。
□ 22 不法入国者防止の円岸警備を強化した。
□ 23 万国博欄会は成功のうちに幕を閉じた。
□ 24 新幹線の使定席のきっぷを予約する。
□ 25 白熱した議論が寝夜まで戦わされた。
□ 26 姿見に口紅を刺す母が映っていた。
□ 27 客の要望に耳を傾けて製品を快良する。
□ 28 正午の時報に合わせて針を五分勧めた。
□ 29 連日の厳しい主行を終え立派な僧になる。
□ 30 新製品の開発競争が劇化している。
□ 31 新事実が範明し無罪になった。
□ 32 姉は地域の伝統工芸の最生に努める。
□ 33 迫進の演技で観客を夢中にさせた。
□ 34 赤潮が養植業に多大な損害を与えた。
□ 35 試合での惨敗を元動力に猛練習を重ねる。
□ 36 地元の特産品を消費者に直接販買する。
□ 37 内面を重使して人材の採否を決定する。
□ 38 両親の偉産の一部を赤十字に寄付した。
□ 39 疑足を装着して健常者の生活に近づく。
□ 40 仕事の成価が上司に認められ出世した。

19 側→測
20 歓→関
21 量→料
22 円→沿
23 欄→覧
24 使→指
25 寝→深
26 刺→差
27 快→改
28 勧→進
29 主→修
30 劇→激
31 範→判
32 最→再
33 進→真
34 植→殖
35 元→原
36 買→売
37 使→視
38 偉→遺
39 疑→義
40 価→果

対義語・類義語—①

※ □の中の語を必ず一度使って漢字に直し、対義語・類義語を記せ。

対義語

- □ 1 繁雑—簡□
- □ 2 不振—好□
- □ 3 定例—□時
- □ 4 親切—□淡
- □ 5 消費—□蓄
- □ 6 歓声—悲□
- □ 7 開放—□鎖
- □ 8 航行—□泊

ちょ　ちょう　てい　へい　めい　りゃく　りん　れい

類義語

- □ 9 縁者—□類
- □ 10 釈明—□解
- □ 11 長者—□豪
- □ 12 健康—丈□
- □ 13 対照—□較
- □ 14 精進—□力
- □ 15 土台—□盤
- □ 16 理由—□拠

き　こん　しん　ど　ひ　ふ　ぶ　べん

標準解答

1 繁雑(はんざつ)↔簡略(かんりゃく)
2 不振(ふしん)↔好調(こうちょう)
3 定例(ていれい)↔臨時(りんじ)
4 親切(しんせつ)↔冷淡(れいたん)
5 消費(しょうひ)↔貯蓄(ちょちく)
6 歓声(かんせい)↔悲鳴(ひめい)
7 開放(かいほう)↔閉鎖(へいさ)
8 航行(こうこう)↔停泊(ていはく)

9 縁者(えんじゃ)=親類(しんるい)
10 釈明(しゃくめい)=弁解(べんかい)
11 長者(ちょうじゃ)=富豪(ふごう)
12 健康(けんこう)=丈夫(じょうぶ)
13 対照(たいしょう)=比較(ひかく)
14 精進(しょうじん)=努力(どりょく)
15 土台(どだい)=基盤(きばん)
16 理由(りゆう)=根拠(こんきょ)

対義語

- □ 17 例外―□則
- □ 18 希薄―濃□
- □ 19 在宅―□守
- □ 20 優雅―□俗
- □ 21 返済―□用
- □ 22 冒頭―□尾
- □ 23 大略―詳□
- □ 24 柔和―凶□
- □ 25 陰性―□性
- □ 26 中止―継□
- □ 27 沈殿―浮□
- □ 28 複雑―単□

げん　さい　しゃく　じゅん　ぞく　てい　ぼう　まつ　みつ　ゆう　よう　る

類義語

- □ 29 対等―互□
- □ 30 地道―堅□
- □ 31 使命―責□
- □ 32 用心―□戒
- □ 33 専有―□占
- □ 34 本気―□剣
- □ 35 考慮―思□
- □ 36 周到―□密
- □ 37 名誉―□光
- □ 38 永眠―□界
- □ 39 入手―獲□
- □ 40 同等―匹□

あん　えい　かく　けい　じつ　しん　た　てき　とく　どく　む　めん

17 例外↔原則
18 希薄↔濃密
19 在宅↔留守
20 優雅↔低俗
21 返済↔借用
22 冒頭↔末尾
23 大略↔詳細
24 柔和↔凶暴
25 陰性↔陽性
26 中止↔継続
27 沈殿↔浮遊
28 複雑↔単純

29 対等＝互角
30 地道＝堅実
31 使命＝責務
32 用心＝警戒
33 専有＝独占
34 本気＝真剣
35 考慮＝思案
36 周到＝綿密
37 名誉＝栄光
38 永眠＝他界
39 入手＝獲得
40 同等＝匹敵

かならず押さえる！

頻出度 A

対義語・類義語—②

目標正答率 85%

／40

※ □ の中の語を必ず一度使って漢字に直し、対義語・類義語を記せ。

対義語

□ 1 脱退—加□
□ 2 加入—□脱
□ 3 存続—断□
□ 4 強固—薄□
□ 5 受理—□下
□ 6 需要—供□
□ 7 年頭—歳□
□ 8 甘言—□言

きゃっ　きゅう　く　じゃく　ぜつ　まつ　めい　り

類義語

□ 9 大樹—□木
□ 10 加勢—□援
□ 11 風刺—□肉
□ 12 道端—□傍
□ 13 普通—尋□
□ 14 不意—□然
□ 15 手本—□範
□ 16 即座—早□

おう　きょ　じょう　そく　とつ　ひ　も　ろ

標準解答

1 脱退（だったい）↔加盟（かめい）
2 加入（かにゅう）↔離脱（りだつ）
3 存続（そんぞく）↔断絶（だんぜつ）
4 強固（きょうこ）↔薄弱（はくじゃく）
5 受理（じゅり）↔却下（きゃっか）
6 需要（じゅよう）↔供給（きょうきゅう）
7 年頭（ねんとう）↔歳末（さいまつ）
8 甘言（かんげん）↔苦言（くげん）
9 大樹（たいじゅ）＝巨木（きょぼく）
10 加勢（かせい）＝応援（おうえん）
11 風刺（ふうし）＝皮肉（ひにく）
12 道端（みちばた）＝路傍（ろぼう）
13 普通（ふつう）＝尋常（じんじょう）
14 不意（ふい）＝突然（とつぜん）
15 手本（てほん）＝模範（もはん）
16 即座（そくざ）＝早速（さっそく）

対義語

□ 17 近海―遠□
□ 18 軽率―慎□
□ 19 誕生―□眠
□ 20 一致―□違
□ 21 病弱―丈□
□ 22 逃走―□跡
□ 23 起床―□寝
□ 24 凶作―□作
□ 25 逃避―直□
□ 26 加熱―□却
□ 27 執着―断□
□ 28 警戒―□断

えい　しゅう　そう　ちょう　つい　ねん　ぶ　ほう　めん　ゆ　よう　れい

類義語

□ 29 隷属―服□
□ 30 承認―□可
□ 31 無視―黙□
□ 32 腕前―技□
□ 33 可否―是□
□ 34 結束―□結
□ 35 反撃―□襲
□ 36 運搬―□送
□ 37 永遠―恒□
□ 38 近隣―□辺
□ 39 回想―□憶
□ 40 守備―□御

ぎゃく　きゅう　きょ　さつ　しゅう　じゅう　だん　つい　ひ　ぼう　ゆ　りょう

17 近海（きんかい）↔遠洋（えんよう）
18 軽率（けいそつ）↔慎重（しんちょう）
19 誕生（たんじょう）↔永眠（えいみん）
20 一致（いっち）↔相違（そうい）
21 病弱（びょうじゃく）↔丈夫（じょうぶ）
22 逃走（とうそう）↔追跡（ついせき）
23 起床（きしょう）↔就寝（しゅうしん）
24 凶作（きょうさく）↔豊作（ほうさく）
25 逃避（とうひ）↔直面（ちょくめん）
26 加熱（かねつ）↔冷却（れいきゃく）
27 執着（しゅうちゃく）↔断念（だんねん）
28 警戒（けいかい）↔油断（ゆだん）

29 隷属（れいぞく）＝服従（ふくじゅう）
30 承認（しょうにん）＝許可（きょか）
31 無視（むし）＝黙殺（もくさつ）
32 腕前（うでまえ）＝技量（ぎりょう）
33 可否（かひ）＝是非（ぜひ）
34 結束（けっそく）＝団結（だんけつ）
35 反撃（はんげき）＝逆襲（ぎゃくしゅう）
36 運搬（うんぱん）＝輸送（ゆそう）
37 永遠（えいえん）＝恒久（こうきゅう）
38 近隣（きんりん）＝周辺（しゅうへん）
39 回想（かいそう）＝追憶（ついおく）
40 守備（しゅび）＝防御（ぼうぎょ）

かならず押さえる！ 頻出度 A

対義語・類義語——③

目標正答率 85%

／40

※□の中の語を必ず一度使って漢字に直し、対義語・類義語を記せ。

対義語

□ 1 野党—□党
□ 2 濁流—□流
□ 3 先祖—子□
□ 4 不和—円□
□ 5 慎重—軽□
□ 6 離脱—□加
□ 7 厳寒—猛□
□ 8 遠方—□隣

よ　まん　そん　そつ　せい　しょ　さん　きん

類義語

□ 9 及第—合□
□ 10 非凡—抜□
□ 11 天性—素□
□ 12 苦労—□儀
□ 13 前途—□来
□ 14 最初—冒□
□ 15 支度—□備
□ 16 許可—承□

にん　なん　とう　しょう　じゅん　しつ　ぐん　かく

標準解答

1 野党(やとう)↔与党(よとう)
2 濁流(だくりゅう)↔清流(せいりゅう)
3 先祖(せんぞ)↔子孫(しそん)
4 不和(ふわ)↔円満(えんまん)
5 慎重(しんちょう)↔軽率(けいそつ)
6 離脱(りだつ)↔参加(さんか)
7 厳寒(げんかん)↔猛暑(もうしょ)
8 遠方(えんぽう)↔近隣(きんりん)
9 及第(きゅうだい)＝合格(ごうかく)
10 非凡(ひぼん)＝抜群(ばつぐん)
11 天性(てんせい)＝素質(そしつ)
12 苦労(くろう)＝難儀(なんぎ)
13 前途(ぜんと)＝将来(しょうらい)
14 最初(さいしょ)＝冒頭(ぼうとう)
15 支度(したく)＝準備(じゅんび)
16 許可(きょか)＝承認(しょうにん)

対義語

- □ 17 被告—□告
- □ 18 敏感—□感
- □ 19 悲嘆—歓□
- □ 20 険悪—柔□
- □ 21 専任—兼□
- □ 22 浮上—□下
- □ 23 冷静—□烈
- □ 24 深夜—□昼
- □ 25 決定—保□
- □ 26 早熟—□成
- □ 27 加入—脱□
- □ 28 破壊—建□

き　げん　せつ　たい　ちん　どん　ねつ　はく　ばん　む　りゅう　わ

類義語

- □ 29 憶測—□量
- □ 30 全快—□治
- □ 31 巨木—大□
- □ 32 改定—□更
- □ 33 追憶—回□
- □ 34 周到—入□
- □ 35 冷淡—薄□
- □ 36 団結—結□
- □ 37 皮肉—□刺
- □ 38 堤防—□手
- □ 39 老練—円□
- □ 40 留守—不□

かん　ざい　じゅ　じゅく　じょう　すい　そう　そく　ど　ねん　ふう　へん

---

17 被告（ひこく）↔原告（げんこく）
18 敏感（びんかん）↔鈍感（どんかん）
19 悲嘆（ひたん）↔歓喜（かんき）
20 険悪（けんあく）↔柔和（にゅうわ）
21 専任（せんにん）↔兼務（けんむ）
22 浮上（ふじょう）↔沈下（ちんか）
23 冷静（れいせい）↔熱烈（ねつれつ）
24 深夜（しんや）↔白昼（はくちゅう）
25 決定（けってい）↔保留（ほりゅう）
26 早熟（そうじゅく）↔晩成（ばんせい）
27 加入（かにゅう）↔脱退（だったい）
28 破壊（はかい）↔建設（けんせつ）

29 憶測（おくそく）＝推量（すいりょう）
30 全快（ぜんかい）＝完治（かんち）
31 巨木（きょぼく）＝大樹（たいじゅ）
32 改定（かいてい）＝変更（へんこう）
33 追憶（ついおく）＝回想（かいそう）
34 周到（しゅうとう）＝入念（にゅうねん）
35 冷淡（れいたん）＝薄情（はくじょう）
36 団結（だんけつ）＝結束（けっそく）
37 皮肉（ひにく）＝風刺（ふうし）
38 堤防（ていぼう）＝土手（どて）
39 老練（ろうれん）＝円熟（えんじゅく）
40 留守（るす）＝不在（ふざい）

同音・同訓異字——①

※次の——線のカタカナにあてはまる漢字をそれぞれア～オから選び、記号で記せ。

□ 1 都会の雑**トウ**にまぎれる。
□ 2 胃を**トウ**視する検査を受ける。
□ 3 大きなビルが**トウ**壊した。
（ア塔　イ透　ウ倒　エ踏　オ稲）

□ 4 警察官の**ジン**問を受ける。
□ 5 先生のご**ジン**力で合格できた。
□ 6 記者会見に報道**ジン**が駆けつけた。
（ア仁　イ陣　ウ尋　エ神　オ尽）

□ 7 会社で事務を**ト**っている。
□ 8 ワシはしっかりとウサギを**ト**らえた。
□ 9 水に**ト**かして散布する。
（ア取　イ捕　ウ執　エ溶　オ採）

□ 10 見事なアジサイが**サ**いている。
□ 11 暑さを**サ**けて夕方から外出する。
□ 12 キャンプで毒虫に**サ**される。
（ア刺　イ避　ウ冷　エ差　オ咲）

□ 13 **ヒ**岸花が一面に咲いている。
□ 14 **ヒ**害者救済の法律を作る。
□ 15 高原の**ヒ**暑にさそわれる。
（ア被　イ費　ウ彼　エ避　オ疲）

□ 16 ライオンが**コウ**野をかける。
□ 17 新聞に短歌を寄**コウ**する。
□ 18 書類の必要**コウ**目に記入する。
（ア校　イ荒　ウ稿　エ恒　オ項）

標準解答

1 エ　2 イ　3 ウ
4 ウ　5 オ　6 イ
7 ウ　8 イ　9 エ
10 オ　11 イ　12 ア
13 ウ　14 ア　15 エ
16 イ　17 ウ　18 オ

□ 19 あめんぼが**フ**遊する水たまりだ。
□ 20 紫外線から皮**フ**を守る。
□ 21 敵の陣地に**フ**み込む。
（ア賦　イ浮　ウ膚　エ踏　オ腐）

□ 22 庭の**コ**木を引き抜く。
□ 23 **コ**大広告を禁じる。
□ 24 部長が太**コ**判をおす優秀な社員だ。
（ア庫　イ誇　ウ鼓　エ枯　オ故）

□ 25 竹の子が地面から**ツ**き出ている。
□ 26 誠意を十分に**ツ**くしている。
□ 27 山へ山菜を**ツ**みに行く。
（ア摘　イ告　ウ付　エ突　オ尽）

□ 28 中国に**ケン**唐使を送った。
□ 29 日本国憲法を**ケン**持する。
□ 30 会社の役員を**ケン**務する。
（ア軒　イ堅　ウ遣　エ兼　オ圏）

□ 31 万が一を考えて**シン**重に判断する。
□ 32 人権を**シン**害したとして告訴する。
□ 33 環境意識が社会に**シン**透する。
（ア浸　イ針　ウ寝　エ慎　オ侵）

□ 34 夕焼けで空が赤く**ソ**まっている。
□ 35 背中を**ソ**らして準備体操をする。
□ 36 仕上げに野菜を**ソ**えて出す。
（ア添　イ染　ウ沿　エ反　オ初）

□ 37 セーターをほどいた毛糸を**ク**る。
□ 38 冬は日が**ク**れる時間が早い。
□ 39 風雨にさらされた空き家が**ク**ちる。
（ア駆　イ暮　ウ紅　エ朽　オ繰）

□ 40 日本軍の**チ**部をさらけ出す。
□ 41 容疑者の指紋と一**チ**した。
□ 42 空港の建設が**チ**延している。
（ア遅　イ知　ウ恥　エ致　オ値）

19 イ　20 ウ　21 エ
22 エ　23 イ　24 ウ
25 エ　26 オ　27 ア
28 ウ　29 イ　30 エ
31 エ　32 オ　33 ア
34 イ　35 エ　36 ア
37 オ　38 イ　39 エ
40 ウ　41 エ　42 ア

かならず押さえる！ 頻出度 A

同音・同訓異字―②

目標正答率 95%

／42

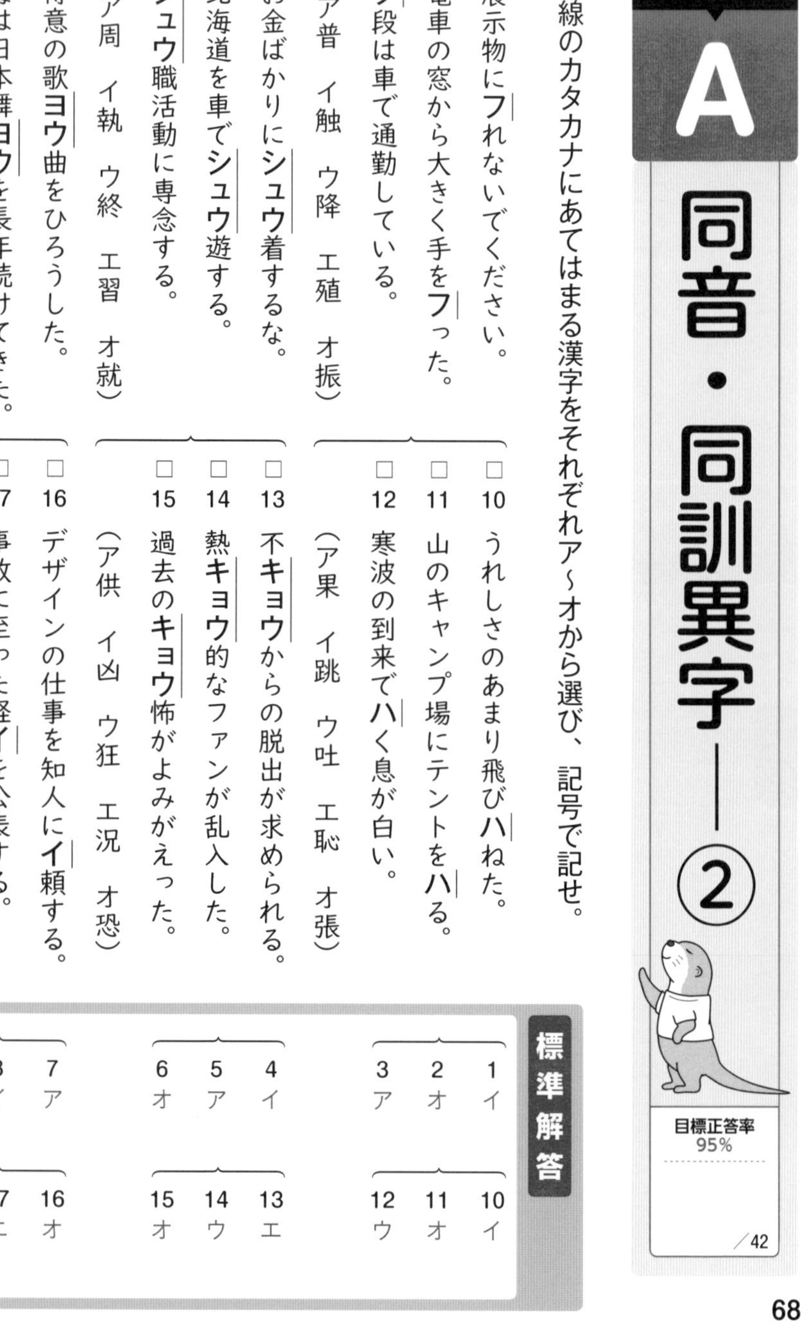

※次の――線のカタカナにあてはまる漢字をそれぞれア～オから選び、記号で記せ。

□1 展示物に**フ**れないでください。
□2 電車の窓から大きく手を**フ**った。
□3 **フ**段は車で通勤している。
（ア普　イ触　ウ降　エ殖　オ振）

□4 お金ばかりに**シュウ**着するな。
□5 北海道を車で**シュウ**遊する。
□6 **シュウ**職活動に専念する。
（ア周　イ執　ウ終　エ習　オ就）

□7 得意の歌**ヨウ**曲をひろうした。
□8 母は日本舞**ヨウ**を長年続けてきた。
□9 砂糖を水に**ヨウ**解する。
（ア謡　イ踊　ウ様　エ容　オ溶）

□10 うれしさのあまり飛び**ハ**ねた。
□11 山のキャンプ場にテントを**ハ**る。
□12 寒波の到来で**ハ**く息が白い。
（ア果　イ跳　ウ吐　エ恥　オ張）

□13 不**キョウ**からの脱出が求められる。
□14 熱**キョウ**的なファンが乱入した。
□15 過去の**キョウ**怖がよみがえった。
（ア供　イ凶　ウ狂　エ況　オ恐）

□16 デザインの仕事を知人に**イ**頼する。
□17 事故に至った経**イ**を公表する。
□18 **イ**人の言葉で心が救われる。
（ア井　イ射　ウ偉　エ緯　オ依）

標準解答

1 イ　2 オ　3 ア
4 イ　5 ア　6 オ
7 ア　8 イ　9 オ
10 イ　11 オ　12 ウ
13 エ　14 ウ　15 オ
16 オ　17 エ　18 ウ

□ 19 建物は完全に破**カイ**された。
□ 20 台風災害に備え警**カイ**を強める。
□ 21 話の主旨が**カイ**目分からない。
（ア界　イ回　ウ皆　エ壊　オ戒）

□ 22 何もせず**ボウ**観するのはよくない。
□ 23 約束したのに寝**ボウ**してしまった。
□ 24 農作物の出荷に**ボウ**殺される。
（ア忙　イ冒　ウ坊　エ傍　オ暴）

□ 25 苦労話を聞いて目頭を**オ**さえた。
□ 26 皆に**オ**されて選挙に立候補した。
□ 27 スポーツの最中に深い傷を**オ**う。
（ア負　イ帯　ウ推　エ押　オ尾）

□ 28 防波**テイ**に波が打ちつけている。
□ 29 師の門**テイ**となって腕をみがく。
□ 30 並大**テイ**の努力では成功できない。
（ア提　イ抵　ウ程　エ堤　オ弟）

□ 31 親切な行**イ**にお礼を言う。
□ 32 文化の相**イ**について質問する。
□ 33 体力の**イ**持に努力する。
（ア偉　イ違　ウ威　エ為　オ維）

□ 34 **ショウ**賛されるべき研究成果だ。
□ 35 臨**ショウ**医学の経験が豊かだ。
□ 36 **ショウ**細な病状の説明を受ける。
（ア障　イ承　ウ床　エ称　オ詳）

□ 37 会社では旧**セイ**で通している。
□ 38 世界**セイ**服をたくらむ。
□ 39 会社に**セイ**算書を提出する。
（ア成　イ精　ウ姓　エ清　オ征）

□ 40 宇宙から**キョ**大ないん石が落下した。
□ 41 東京を**キョ**点として活動する。
□ 42 学校まで二キロの**キョ**離がある。
（ア許　イ距　ウ挙　エ巨　オ拠）

19	20	21	22	23	24	25	26	27	28	29	30
エ	オ	ウ	エ	ウ	ア	エ	ウ	ア	エ	オ	イ

31	32	33	34	35	36	37	38	39	40	41	42
エ	イ	オ	エ	ウ	オ	ウ	オ	イ	エ	オ	イ

同音・同訓異字――③

※次の――線のカタカナにあてはまる漢字をそれぞれア～オから選び、記号で記せ。

□ 1 庭一面に奇**レイ**な花がさく。
□ 2 名木の樹**レイ**を推定する。
□ 3 奴**レイ**解放の政策をうちだした。
（ア齢　イ麗　ウ隷　エ礼　オ令）

□ 4 休**カ**を取って海水浴に出かけた。
□ 5 客人に名**カ**と新茶をふるまう。
□ 6 人事異動で担当者が**カ**わる。
（ア枯　イ暇　ウ駆　エ替　オ菓）

□ 7 記事の**トウ**作が指摘された。
□ 8 長年の好敵手に**トウ**志を燃やす。
□ 9 旅行を前に周**トウ**な計画を練る。
（ア盗　イ到　ウ桃　エ透　オ闘）

□ 10 天から**フ**与された画才を発揮する。
□ 11 朝から強い雨が**フ**り続く。
□ 12 異国の地で**フ**教活動に尽力する。
（ア布　イ夫　ウ浮　エ賦　オ降）

□ 13 不法な土地の占有に退去を**カン**告する。
□ 14 魚の**カン**露煮をふるまう。
□ 15 地元選手の活躍に**カン**声が上がる。
（ア歓　イ感　ウ勧　エ甘　オ汗）

□ 16 式の**ボウ**頭であいさつをする。
□ 17 相手の能力の高さに脱**ボウ**した。
□ 18 強盗は駅の方面へ逃**ボウ**した。
（ア帽　イ冒　ウ亡　エ棒　オ傍）

標準解答

1 イ	2 ア	3 ウ	10 エ	11 オ	12 ア
4 イ	5 オ	6 エ	13 ウ	14 エ	15 ア
7 ア	8 オ	9 イ	16 イ	17 ア	18 ウ

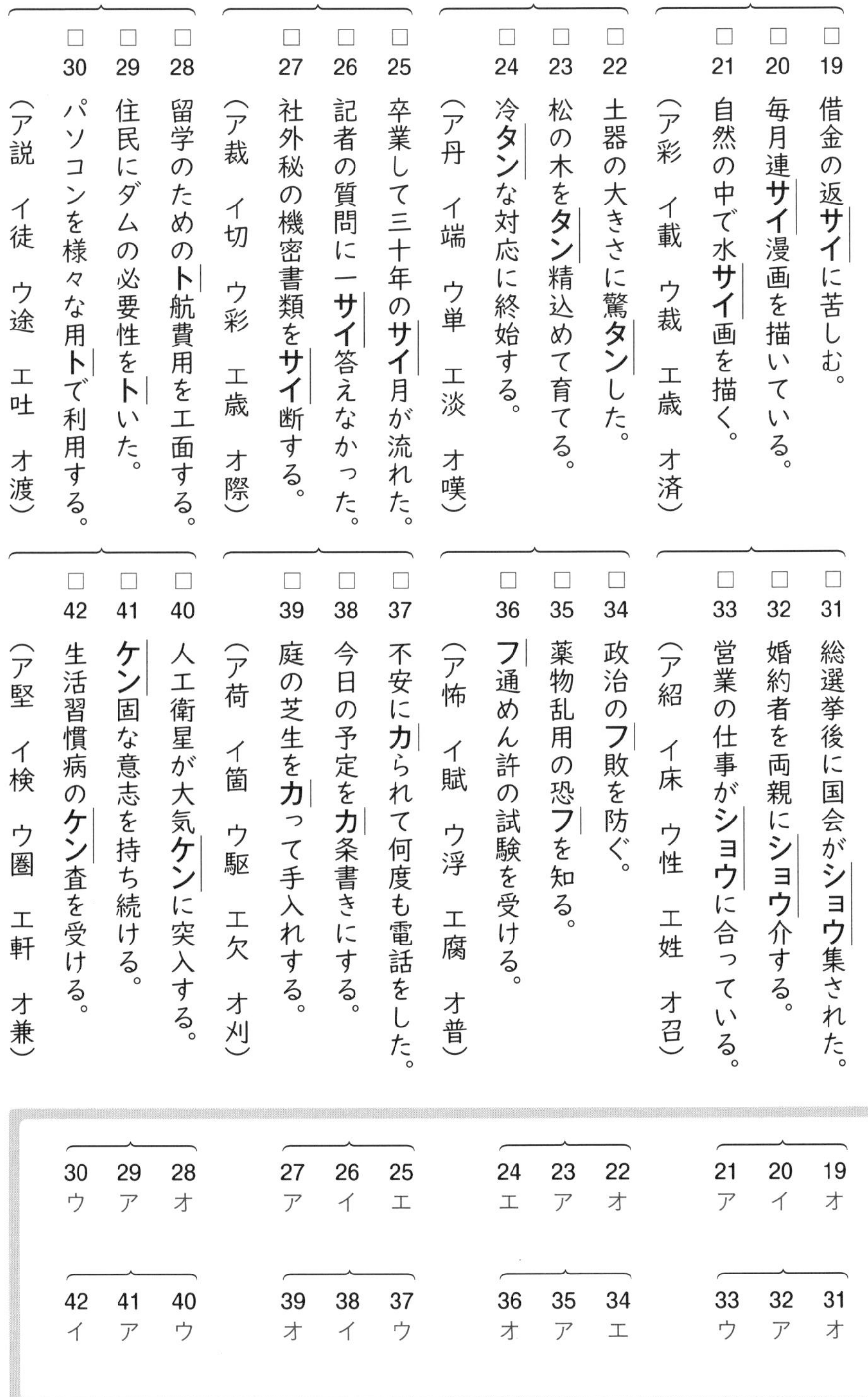

□ 19 借金の返**サイ**に苦しむ。
□ 20 毎月連**サイ**漫画を描いている。
□ 21 自然の中で水**サイ**画を描く。
（ア彩　イ載　ウ裁　エ歳　オ済）

□ 22 土器の大きさに驚**タン**した。
□ 23 松の木を**タン**精込めて育てる。
□ 24 冷**タン**な対応に終始する。
（ア丹　イ端　ウ単　エ淡　オ嘆）

□ 25 卒業して三十年の**サイ**月が流れた。
□ 26 記者の質問に一**サイ**答えなかった。
□ 27 社外秘の機密書類を**サイ**断する。
（ア裁　イ切　ウ彩　エ歳　オ際）

□ 28 留学のための**ト**航費用を工面する。
□ 29 住民にダムの必要性を**ト**いた。
□ 30 パソコンを様々な用**ト**で利用する。
（ア説　イ徒　ウ途　エ吐　オ渡）

□ 31 総選挙後に国会が**ショウ**集された。
□ 32 婚約者を両親に**ショウ**介する。
□ 33 営業の仕事が**ショウ**に合っている。
（ア紹　イ床　ウ性　エ姓　オ召）

□ 34 政治の**フ**敗を防ぐ。
□ 35 薬物乱用の恐**フ**を知る。
□ 36 **フ**通めん許の試験を受ける。
（ア怖　イ賦　ウ浮　エ腐　オ普）

□ 37 不安に**カ**られて何度も電話をした。
□ 38 今日の予定を**カ**条書きにする。
□ 39 庭の芝生を**カ**って手入れする。
（ア荷　イ箇　ウ駆　エ欠　オ刈）

□ 40 人工衛星が大気**ケン**に突入する。
□ 41 **ケン**固な意志を持ち続ける。
□ 42 生活習慣病の**ケン**査を受ける。
（ア堅　イ検　ウ圏　エ軒　オ兼）

19 オ	20 イ	21 ア	31 オ	32 ア	33 ウ
22 オ	23 ア	24 エ	34 エ	35 ア	36 オ
25 エ	26 イ	27 ア	37 ウ	38 イ	39 オ
28 オ	29 ア	30 ウ	40 ウ	41 ア	42 イ

かならず押さえる！ 頻出度 A

同音・同訓異字——④

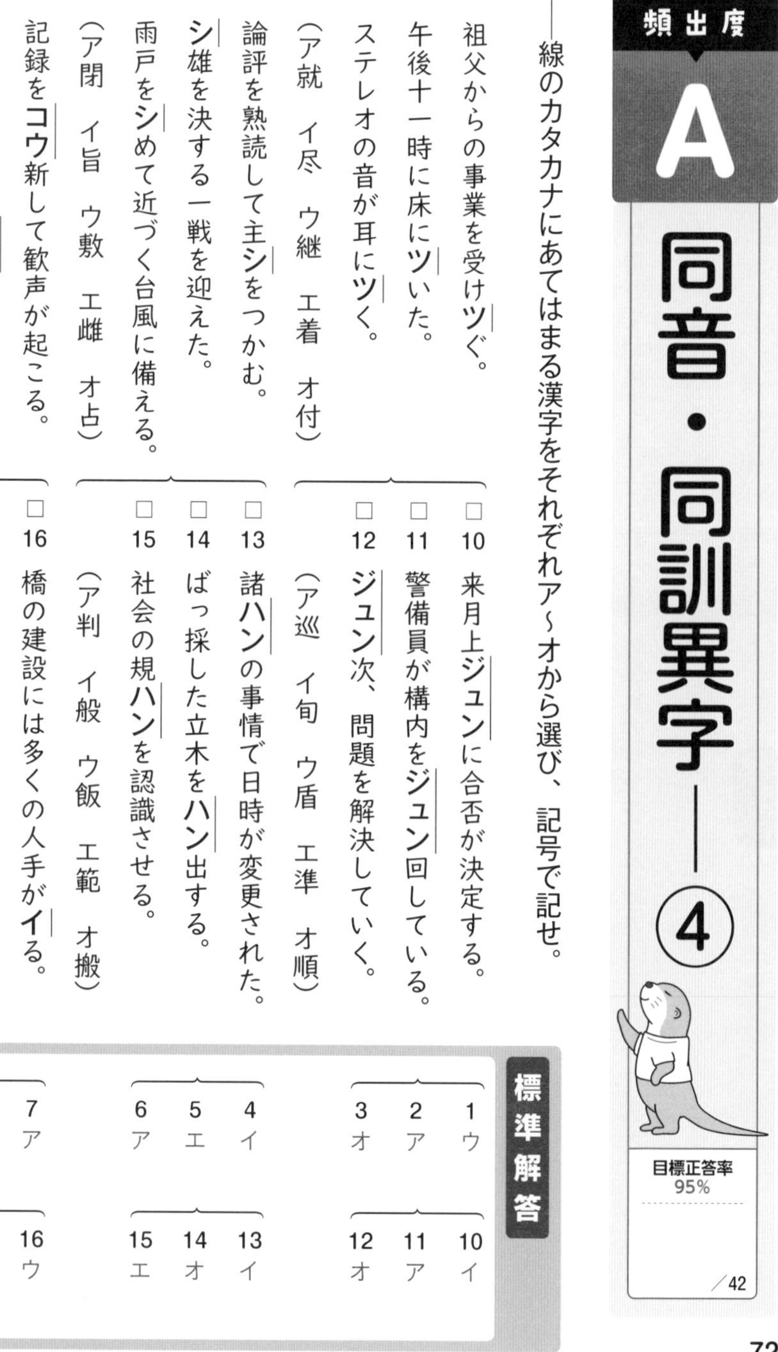

目標正答率 95%

／42

※次の——線のカタカナにあてはまる漢字をそれぞれア～オから選び、記号で記せ。

□1 祖父からの事業を受け**ツ**ぐ。
□2 午後十一時に床に**ツ**いた。
□3 ステレオの音が耳に**ツ**く。
（ア就　イ尽　ウ継　エ着　オ付）

□4 論評を熟読して主**シ**をつかむ。
□5 **シ**雄を決する一戦を迎えた。
□6 雨戸を**シ**めて近づく台風に備える。
（ア閉　イ旨　ウ敷　エ雌　オ占）

□7 記録を**コウ**新して歓声が起こる。
□8 地球に一番近い**コウ**星は太陽だ。
□9 不当な対応に**コウ**議する。
（ア更　イ恒　ウ項　エ抗　オ攻）

□10 来月上**ジュン**に合否が決定する。
□11 警備員が構内を**ジュン**回している。
□12 **ジュン**次、問題を解決していく。
（ア巡　イ旬　ウ盾　エ準　オ順）

□13 諸**ハン**の事情で日時が変更された。
□14 ばっ採した立木を**ハン**出する。
□15 社会の規**ハン**を認識させる。
（ア判　イ般　ウ飯　エ範　オ搬）

□16 橋の建設には多くの人手が**イ**る。
□17 **イ**の中のかわず大海を知らず。
□18 家に**イ**ない時に来客があった。
（ア井　イ居　ウ要　エ射　オ行）

標準解答

1 ウ　2 ア　3 オ
4 イ　5 エ　6 ア
7 ア　8 イ　9 エ
10 イ　11 ア　12 オ
13 イ　14 オ　15 エ
16 ウ　17 ア　18 イ

□19 親友の誤解を**ト**く。
□20 前髪をピンで**ト**める。
□21 漁船が港に**ト**まっている。
(ア留 イ捕 ウ渡 エ解 オ泊)

□22 父に**シ**激されて医者の道を選んだ。
□23 パーティーの**シ**会を任される。
□24 **シ**外線はただの大敵だ。
(ア刺 イ司 ウ支 エ紫 オ師)

□25 名鑑の末**ビ**に名を連ねる。
□26 **ビ**笑をたたえる婦人画だ。
□27 **ビ**考欄にデータを入力する。
(ア鼻 イ備 ウ尾 エ美 オ微)

□28 客から大きな反**キョウ**があった。
□29 **キョウ**異的に売上をのばしている。
□30 犯人がついに自**キョウ**した。
(ア狂 イ驚 ウ供 エ凶 オ響)

□31 **エン**側に座ってうたた寝をする。
□32 にわかに灰色の噴**エン**が立ち上る。
□33 **エン**線に商店街が形成されている。
(ア援 イ延 ウ縁 エ煙 オ沿)

□34 パソコンが世界に普**キュウ**する。
□35 砂**キュウ**にも花が咲いている。
□36 クジラは肺で呼**キュウ**する。
(ア旧 イ及 ウ救 エ丘 オ吸)

□37 会議の場で**ケン**悪な空気が流れた。
□38 名うての**ケン**豪に師事する。
□39 経済学の**ケン**威に助言を求める。
(ア軒 イ権 ウ剣 エ件 オ険)

□40 城下で激しい**コウ**防が展開される。
□41 山は古くから信**コウ**を集めてきた。
□42 料理の仕上げに**コウ**料を加える。
(ア仰 イ抗 ウ攻 エ恒 オ香)

19 エ	31 ウ
20 ア	32 エ
21 オ	33 オ
22 ア	34 イ
23 イ	35 エ
24 エ	36 オ
25 ウ	37 オ
26 オ	38 ウ
27 イ	39 イ
28 オ	40 ウ
29 イ	41 ア
30 ウ	42 オ

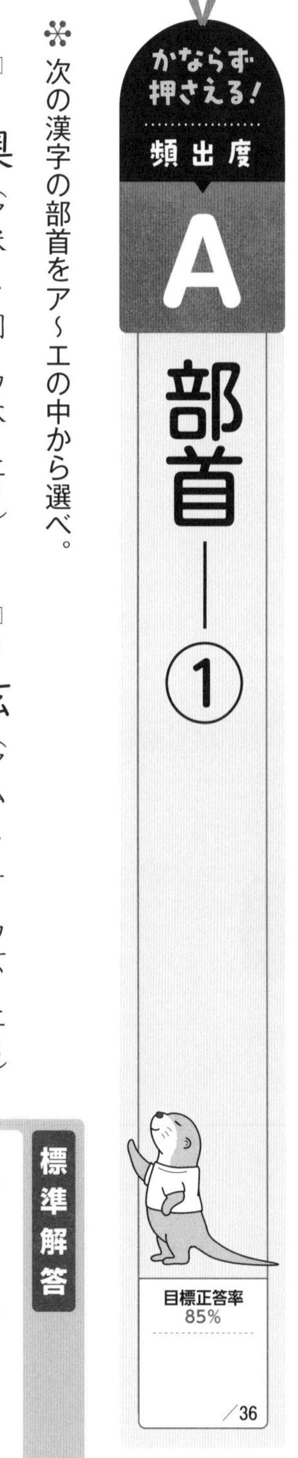

部首──①

※次の漢字の部首をア～エの中から選べ。

□ 1 奥（ア 米　イ 冂　ウ 大　エ ノ）
□ 2 圏（ア 大　イ 口　ウ 己　エ 人）
□ 3 殿（ア 八　イ 又　ウ 尸　エ 殳）
□ 4 壱（ア 十　イ 冖　ウ 士　エ 匕）
□ 5 盾（ア 目　イ ノ　ウ 厂　エ 十）
□ 6 曇（ア 日　イ 二　ウ ム　エ 雨）
□ 7 朱（ア 木　イ 二　ウ 牛　エ 十）
□ 8 療（ア 大　イ 疒　ウ 广　エ 小）
□ 9 玄（ア ム　イ 亠　ウ 玄　エ 幺）
□ 10 衛（ア 口　イ 亻　ウ 彳　エ 行）
□ 11 術（ア 十　イ 行　ウ 彳　エ 小）
□ 12 扇（ア 戸　イ 羽　ウ 尸　エ 一）
□ 13 畳（ア 冖　イ 田　ウ 一　エ 目）
□ 14 再（ア 二　イ 一　ウ 十　エ 冂）
□ 15 床（ア 十　イ 木　ウ 厂　エ 广）
□ 16 戒（ア 廾　イ 戈　ウ 一　エ 弋）

標準解答

1 ウ　2 イ　3 エ　4 ウ　5 ア　6 ア　7 ア　8 イ
9 ウ　10 エ　11 イ　12 ア　13 イ　14 エ　15 エ　16 イ

17 至（ア 至　イ 厶　ウ 一　エ 土）
18 輩（ア 車　イ 非　ウ 一　エ 日）
19 街（ア 土　イ 彳　ウ 亅　エ 行）
20 誉（ア 八　イ 言　ウ 一　エ ⺌）
21 尾（ア 尸　イ 毛　ウ ノ　エ し）
22 歳（ア 厂　イ 戈　ウ 止　エ 小）
23 項（ア 八　イ 頁　ウ ェ　エ 貝）
24 箇（ア 口　イ 竹　ウ 十　エ ロ）
25 彩（ア 木　イ 彡　ウ 爫　エ 釆）
26 突（ア 大　イ 穴　ウ 宀　エ 人）

27 競（ア 立　イ 口　ウ 亠　エ 儿）
28 趣（ア 土　イ 又　ウ 走　エ 耳）
29 鬼（ア 鬼　イ 厶　ウ 田　エ 儿）
30 舞（ア 夕　イ 二　ウ 舛　エ ノ）
31 裁（ア 衣　イ 土　ウ 十　エ 戈）
32 疲（ア 皮　イ 广　ウ 又　エ 疒）
33 影（ア 亠　イ 小　ウ 彡　エ 日）
34 柔（ア 矛　イ 十　ウ ノ　エ 木）
35 透（ア 亅　イ 一　ウ 辶　エ 丶）
36 隷（ア 士　イ 隶　ウ 示　エ 氺）

17 ア　18 ア　19 エ　20 イ　21 ア　22 ウ　23 イ　24 イ　25 イ　26 イ
27 ア　28 ウ　29 ア　30 ウ　31 ア　32 エ　33 ウ　34 エ　35 ウ　36 イ

かならず押さえる！
頻出度

A 部首—②

目標正答率 85%

／36

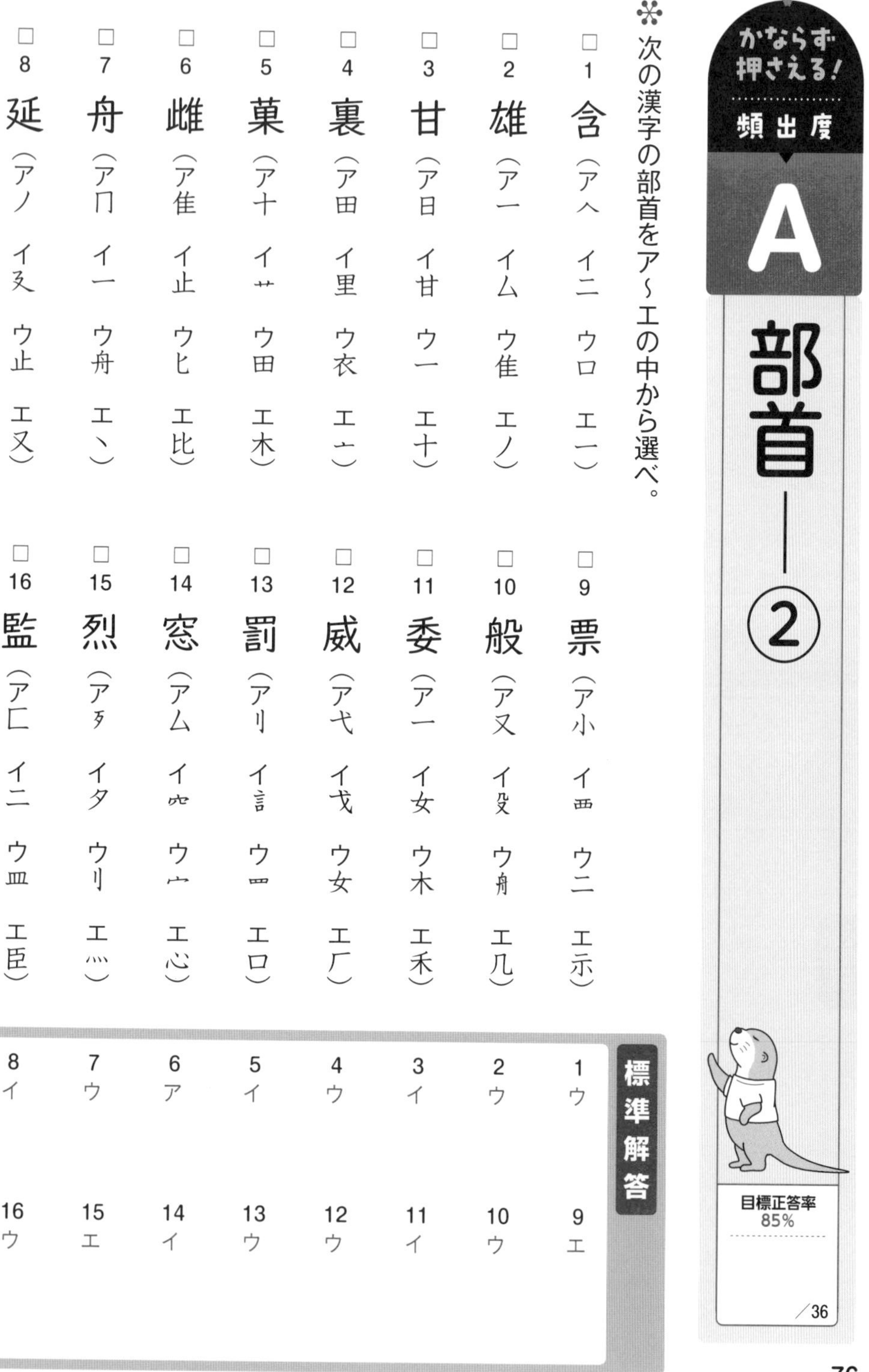

※次の漢字の部首をア～エの中から選べ。

□ 1 含（ア へ　イ 二　ウ 口　エ 一）

□ 2 雄（ア 一　イ ム　ウ 隹　エ ノ）

□ 3 甘（ア 日　イ 甘　ウ 一　エ 十）

□ 4 裏（ア 田　イ 里　ウ 衣　エ 亠）

□ 5 菓（ア 十　イ 艹　ウ 田　エ 木）

□ 6 雌（ア 隹　イ 止　ウ 匕　エ 比）

□ 7 舟（ア 冂　イ 一　ウ 舟　エ 丶）

□ 8 延（ア ノ　イ 廴　ウ 止　エ 又）

□ 9 票（ア 小　イ 覀　ウ 二　エ 示）

□ 10 般（ア 又　イ 殳　ウ 舟　エ 几）

□ 11 委（ア 一　イ 女　ウ 木　エ 禾）

□ 12 威（ア 弋　イ 戈　ウ 女　エ 厂）

□ 13 罰（ア 刂　イ 言　ウ 罒　エ 口）

□ 14 窓（ア ム　イ 穴　ウ 宀　エ 心）

□ 15 烈（ア 歹　イ 夕　ウ 刂　エ 灬）

□ 16 監（ア 匚　イ 二　ウ 皿　エ 臣）

標準解答

1 ウ
2 ウ
3 イ
4 ウ
5 イ
6 ア
7 ウ
8 イ
9 エ
10 ウ
11 イ
12 ウ
13 ウ
14 イ
15 エ
16 ウ

□17 敏（ア 田　イ 毋　ウ 又　エ 攵）

□18 紫（ア 糸　イ 比　ウ 止　エ 小）

□19 範（ア ⺮　イ 卩　ウ 日　エ 車）

□20 痛（ア 广　イ 用　ウ 疒　エ 冫）

□21 秀（ア ノ　イ 木　ウ 十　エ 禾）

□22 倒（ア 至　イ 土　ウ 亻　エ 刂）

□23 麗（ア 广　イ 比　ウ 鹿　エ 匕）

□24 翼（ア 二　イ 羽　ウ 八　エ 田）

□25 煮（ア 土　イ 日　ウ 耂　エ 灬）

□26 越（ア 厂　イ 走　ウ 戈　エ 土）

□27 薪（ア 立　イ 木　ウ 艹　エ 斤）

□28 噴（ア 十　イ 八　ウ 貝　エ 口）

□29 隠（ア ⺤　イ 心　ウ ⺍　エ 阝）

□30 疑（ア 矢　イ 匕　ウ 人　エ 疋）

□31 老（ア 匕　イ 耂　ウ ノ　エ 土）

□32 吹（ア 欠　イ 人　ウ ノ　エ 口）

□33 座（ア 人　イ 厂　ウ 广　エ 土）

□34 岸（ア 厂　イ 二　ウ 干　エ 山）

□35 遅（ア 尸　イ 辶　ウ 羊　エ ノ）

□36 御（ア 缶　イ 彳　ウ 卩　エ 止）

17 エ　18 ア　19 ア　20 ウ　21 エ　22 ウ　23 ウ　24 イ　25 エ　26 イ

27 ウ　28 エ　29 エ　30 エ　31 イ　32 エ　33 ウ　34 エ　35 イ　36 イ

※次の漢字の部首をア〜エの中から選べ。

□ 1 覧（ア儿　イ目　ウ臣　エ見）

□ 2 斜（ア小　イ十　ウ斗　エ𠆢）

□ 3 避（ア口　イ尸　ウ辛　エ⻌）

□ 4 露（ア⻊　イ夂　ウ口　エ⻗）

□ 5 厚（ア子　イ口　ウ厂　エ日）

□ 6 脚（ア土　イ厶　ウ卩　エ月）

□ 7 震（ア二　イ辰　ウ厂　エ⻗）

□ 8 我（アノ　イ弋　ウ戈　エ弋）

□ 9 蚕（ア人　イ虫　ウ大　エ二）

□ 10 欲（ア欠　イ人　ウ口　エ谷）

□ 11 額（ア頁　イ口　ウ宀　エ一）

□ 12 屋（ア至　イ厶　ウ尸　エ土）

□ 13 敷（ア攵　イ十　ウ方　エ田）

□ 14 却（ア卩　イ土　ウ十　エ厶）

□ 15 壁（ア尸　イ口　ウ辛　エ土）

□ 16 賦（ア止　イ目　ウ貝　エ弋）

標準解答

1 エ	2 ウ	3 エ	4 エ	5 ウ	6 エ	7 エ	8 ウ
9 イ	10 ア	11 ア	12 ウ	13 ア	14 ア	15 エ	16 ウ

□ 17 軒（ア 車　イ 干　ウ 二　エ 十）
□ 18 需（ア 冖　イ ⻗　ウ 而　エ 冂）
□ 19 戯（ア ト　イ 弋　ウ 戈　エ 虍）
□ 20 釈（ア 米　イ 尸　ウ 禾　エ 釆）
□ 21 帽（ア 目　イ 巾　ウ 曰　エ 口）
□ 22 煙（ア 一　イ 覀　ウ 土　エ 火）
□ 23 蓄（ア 田　イ 亠　ウ 幺　エ 艹）
□ 24 劣（ア 小　イ 八　ウ 力　エ ノ）
□ 25 是（ア 日　イ 一　ウ 人　エ 疋）
□ 26 刺（ア 亅　イ 刂　ウ 木　エ 冂）

□ 27 傾（ア 頁　イ 目　ウ 亻　エ 匕）
□ 28 珍（ア 彡　イ 王　ウ 人　エ 土）
□ 29 敬（ア 口　イ 勹　ウ 艹　エ 攵）
□ 30 粒（ア 米　イ 亠　ウ 木　エ 立）
□ 31 夏（ア 自　イ 目　ウ 一　エ 夂）
□ 32 著（ア 耂　イ 艹　ウ 土　エ 日）
□ 33 途（ア 亅　イ 一　ウ 辶　エ 丶）
□ 34 蒸（ア 艹　イ 灬　ウ 一　エ 水）
□ 35 建（ア 又　イ 十　ウ 廴　エ 二）
□ 36 登（ア 口　イ 人　ウ 豆　エ 癶）

17 ア
18 イ
19 ウ
20 エ
21 イ
22 エ
23 エ
24 ウ
25 ア
26 イ

27 ウ
28 イ
29 エ
30 ア
31 エ
32 イ
33 ウ
34 ア
35 ウ
36 エ

熟語の構成――①

※熟語の構成には次のようなものがある。

- **ア** 同じような意味の漢字を重ねたもの（例　岩石）
- **イ** 反対または対応の意味を表す字を重ねたもの（例　高低）
- **ウ** 上の字が下の字を修飾しているもの（例　洋画）
- **エ** 下の字が上の字の目的語・補語となっているもの（例　着席）
- **オ** 上の字が下の字の意味を打ち消しているもの（例　非常）

次の熟語はそのどれに当たるか、記号を記せ。

□1 首尾　□5 平凡　□9 賞罰
□2 経緯　□6 濃淡　□10 遠征
□3 優劣　□7 陰陽　□11 栄枯
□4 製菓　□8 送迎　□12 新鮮

標準解答

1 イ「はじめ」⇔「おわり」の意
2 イ「たて糸」⇔「よこ糸」の意
3 イ「優れる」⇔「劣る」の意
4 エ「つくる↑お菓子を」と解釈する
5 ア どちらも「普通な」の意
6 イ「濃い」⇔「うすい」の意
7 イ「ひかげ」⇔「ひなた」の意
8 イ「送る」⇔「迎える」の意
9 イ「ほめる」⇔「罰する」の意
10 ウ「遠くへ＋出かける」と解釈する
11 イ「さかえる」⇔「おとろえる」の意
12 ア どちらも「あたらしい」の意

□ 13 休暇
□ 14 存亡
□ 15 恩恵
□ 16 仰天
□ 17 禁煙
□ 18 起稿
□ 19 着脱
□ 20 曇天

□ 21 拡幅
□ 22 利害
□ 23 不惑
□ 24 砂丘
□ 25 功罪
□ 26 清濁
□ 27 是非
□ 28 安眠

□ 29 乾燥
□ 30 雌雄
□ 31 光輝
□ 32 波紋
□ 33 無尽
□ 34 遅速
□ 35 更衣
□ 36 無恥

13 ア どちらも「やすみ」の意
14 イ 「存在する」⇔「ほろびる」の意
15 ア どちらも「めぐみ」の意
16 エ 「仰ぐ←天を」と解釈する
17 エ 「禁ずる←きつ煙を」と解釈する
18 エ 「起こす←原稿を」と解釈する
19 イ 「着る」⇔「脱ぐ」の意
20 ウ 「くもりの＋天気」と解釈する

21 エ 「ひろげる←幅を」と解釈する
22 イ 「利益」⇔「損害」の意
23 オ 「惑わない」と解釈する
24 ウ 「砂の＋丘」と解釈する
25 イ 「功績」⇔「罪過」の意
26 イ 「清い」⇔「濁っている」の意
27 イ 「よい」⇔「わるい」の意
28 ウ 「安らかに＋眠る」と解釈する

29 ア どちらも「かわく」の意
30 イ 「めす」⇔「おす」の意
31 ア どちらも「かがやく」の意
32 ウ 「波の＋紋様」と解釈する
33 オ 「尽きない」と解釈する
34 イ 「遅い」⇔「速い」の意
35 エ 「かえる←衣を」と解釈する
36 オ 「ない←恥と思うことが」と解釈する

熟語の構成——②

※熟語の構成には次のようなものがある。

ア 同じような意味の漢字を重ねたもの（例 岩石）
イ 反対または対応の意味を表す字を重ねたもの（例 高低）
ウ 上の字が下の字を修飾しているもの（例 洋画）
エ 下の字が上の字の目的語・補語となっているもの（例 着席）
オ 上の字が下の字の意味を打ち消しているもの（例 非常）

次の熟語はそのどれに当たるか、記号を記せ。

□1 尽力
□2 不眠
□3 遅刻
□4 帰途
□5 干満
□6 絶縁
□7 後輩
□8 興亡
□9 起床
□10 歌謡
□11 到達
□12 不朽

標準解答

1 エ 「尽くす←力を」と解釈する
2 オ 「眠らない」と解釈する
3 エ 「遅れる←時刻に」と解釈する
4 ウ 「帰宅の＋道のり」と解釈する
5 イ 「干す」⇔「満たす」の意
6 エ 「絶つ←縁を」と解釈する
7 ウ 「後の＋なかま」と解釈する
8 イ 「おこる」⇔「ほろびる」の意
9 エ 「起きる←寝床から」と解釈する
10 ア どちらも「うた」の意
11 ア どちらも「とどく」の意
12 オ 「朽ちない」と解釈する

□ 13 繁茂
□ 14 獲得
□ 15 離合
□ 16 握力
□ 17 遊戯
□ 18 比較
□ 19 去来
□ 20 皮膚

□ 21 直訴
□ 22 乾杯
□ 23 増殖
□ 24 因果
□ 25 配慮
□ 26 求婚
□ 27 耐火
□ 28 師弟

□ 29 弾力
□ 30 空欄
□ 31 盛況
□ 32 汚点
□ 33 鈍痛
□ 34 未熟
□ 35 歓喜
□ 36 攻防

13 ア どちらも「しげる」の意
14 ア どちらも「える」の意
15 イ 「離れる」⇔「集まる」の意
16 ウ 「握る+力」と解釈する
17 ア どちらも「あそぶ」の意
18 ア どちらも「くらべる」の意
19 イ 「去る」⇔「来る」の意
20 ア どちらも「はだ」の意

21 ウ 「直接の+訴え」と解釈する
22 エ 「飲みほす↑杯の酒を」と解釈する
23 ア どちらも「ふえる」の意
24 イ 「原因」⇔「結果」の意
25 エ 「配る↑気を」と解釈する
26 エ 「求める↑結婚を」と解釈する
27 エ 「耐える↑火に」と解釈する
28 イ 「師」⇔「弟子」の意

29 ウ 「弾む+力」と解釈する
30 ウ 「からの+欄」と解釈する
31 ウ 「盛んな+状況」と解釈する
32 ウ 「不名誉な+点」と解釈する
33 ウ 「鈍い+痛み」と解釈する
34 オ 「まだしていない↑熟することを」と解釈する
35 ア どちらも「よろこぶ」の意
36 イ 「攻める」⇔「防ぐ」の意

漢字識別—①

※三つの□に共通する漢字を［　］の中から選んで熟語を作り、記号で答えよ。

□ 1 疑□・困□・□星
□ 2 手□・□自慢・□白
□ 3 熱□・猛□・□火
□ 4 □間・一□・□時
□ 5 結□・朝□・□出

ア 露　イ 偉　ウ 烈　エ 惑　オ 握
カ 扱　キ 瞬　ク 依　ケ 威　コ 腕

□ 6 冷□・□水・濃□
□ 7 退□・□難・□暑
□ 8 □事・悲□・陰□
□ 9 相□・□反・□憲
□ 10 □財・貯□・備□

ア 避　イ 為　ウ 違　エ 頼　オ 蓄
カ 淡　キ 壱　ク 緯　ケ 惨　コ 維

標準解答

1 エ 惑
2 コ 腕
3 ウ 烈
4 キ 瞬
5 ア 露
6 カ 淡
7 ア 避
8 ケ 惨
9 ウ 違
10 オ 蓄

□ 11 □進・□発・□拍子

□ 12 模□・規□・□囲

□ 13 絶□・□案・□味

□ 14 □曲・遊□・□画

□ 15 □汗・□質・□肪

□ 16 □風・□容・□圧

□ 17 先□・後□・弱□

ア 鋭　イ 陰　ウ 越　エ 妙　オ 突
カ 威　キ 援　ク 稲　ケ 脂　コ 影
サ 芋　シ 輩　ス 範　セ 戯　ソ 隠

□ 18 平□・□人・非□

□ 19 □国・連□・□骨

□ 20 □拠・□頼・□存

□ 21 □起・□動・跳□

□ 22 □拠・□有・独□

□ 23 冷□・脱□・□下

□ 24 婚□・礼□・□式

ア 却　イ 儀　ウ 躍　エ 凡　オ 依
カ 縁　キ 占　ク 鉛　ケ 煙　コ 鎖
サ 汚　シ 奥　ス 押　セ 憶　ソ 暇

---

11 オ 突
12 ス 範
13 エ 妙
14 セ 戯
15 ケ 脂
16 カ 威
17 シ 輩
18 エ 凡
19 コ 鎖
20 オ 依
21 ウ 躍
22 キ 占
23 ア 却
24 イ 儀

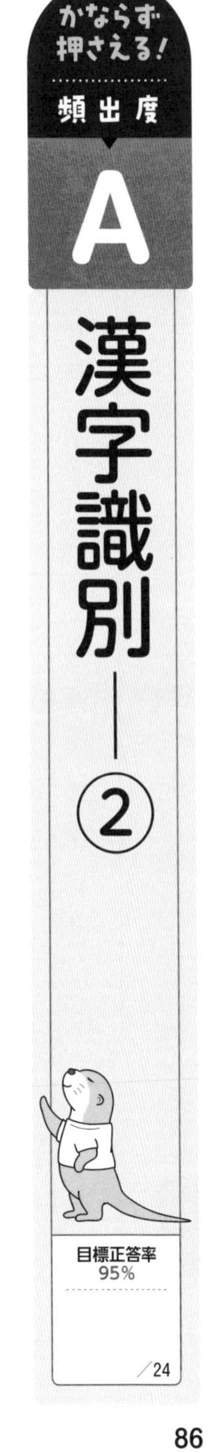

漢字識別—②

※三つの□に共通する漢字を［　］の中から選んで熟語を作り、記号で答えよ。

□ 1 □攻・勇□・□威
□ 2 離□・□皮・□線
□ 3 □賞・□定・印□
□ 4 道□・末□・□正
□ 5 承□・□識・是□

ア 鑑　イ 認　ウ 菓　エ 脱　オ 介
カ 端　キ 猛　ク 雅　ケ 壊　コ 箇

□ 6 □根・語□・首□
□ 7 障□・□土・絶□
□ 8 新□・□角・□敏
□ 9 空□・□外・□千
□ 10 □妙・□獣・□味

ア 含　イ 鋭　ウ 奇　エ 輝　オ 珍
カ 幾　キ 祈　ク 欄　ケ 壁　コ 尾

標準解答

1 キ 猛　2 エ 脱　3 ア 鑑　4 カ 端　5 イ 認
6 コ 尾　7 ケ 壁　8 イ 鋭　9 ク 欄　10 オ 珍

□ 11 □目・要□・事□
□ 12 □故・絶□体・血□
□ 13 □車・□手・□子
□ 14 □装・本□・店□
□ 15 交□・□選・相□
□ 16 抵□・□手・感□
□ 17 唐□・□発・□出

ア 舗	イ 項	ウ 歓	エ 汗	オ 勧
カ 縁	キ 触	ク 互	ケ 環	コ 乾
サ 突	シ 監	ス 鑑	セ 拍	ソ 甘

□ 18 貯□・備□・□電
□ 19 増□・利□・□産
□ 20 比□・効□・□直
□ 21 □圧・□力・□丸
□ 22 豆□・防□剤・□敗
□ 23 □礼・□約・結□
□ 24 □数・□行・好□心

ア 蓄	イ 脚	ウ 腐	エ 殖	オ 婚
カ 鬼	キ 詰	ク 弾	ケ 戯	コ 及
サ 奇	シ 儀	ス 率	セ 丘	ソ 却

11 イ 項
12 カ 縁
13 セ 拍
14 ア 舗
15 ク 互
16 キ 触
17 サ 突

18 ア 蓄
19 エ 殖
20 ス 率
21 ク 弾
22 ウ 腐
23 オ 婚
24 サ 奇

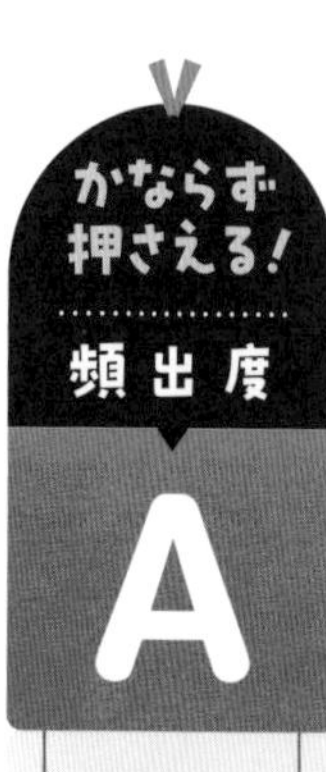

漢字識別——③

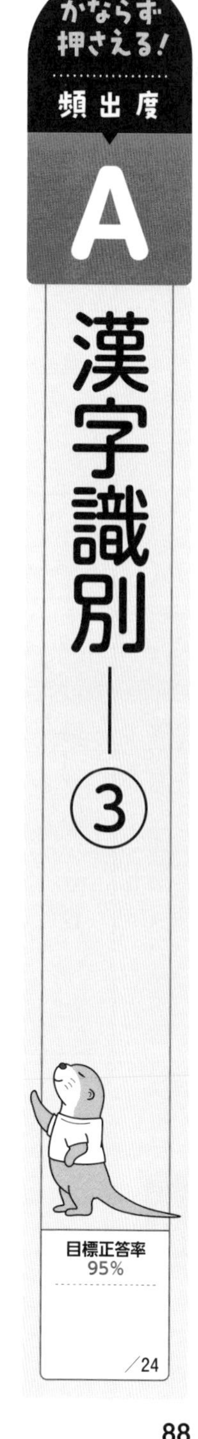

※三つの□に共通する漢字を［　］の中から選んで熟語を作り、記号で答えよ。

□ 1 □護・□助・応□
□ 2 高□・自□・□性
□ 3 別□・□宮・□陸
□ 4 人□・□法師・投□
□ 5 対□・□争・抵□

ア 抗　イ 朽　ウ 援　エ 慢　オ 距
カ 拠　キ 影　ク 離　ケ 凶　コ 巨

□ 6 □地・追□・□形
□ 7 □選・相□・交□
□ 8 後□・□出・年□
□ 9 路□・□線・□受
□ 10 波□・□章・□様

ア 狭　イ 紋　ウ 互　エ 跡　オ 傍
カ 況　キ 輩　ク 恐　ケ 狂　コ 叫

標準解答

1 ウ 援
2 エ 慢
3 ク 離
4 キ 影
5 ア 抗
6 エ 跡
7 ウ 互
8 キ 輩
9 オ 傍
10 イ 紋

□ 11 浮□・□黙・□着

□ 12 基□・吸□・終□

□ 13 喜□・□声・激□

□ 14 □殺・繁□・多□

□ 15 愛□・□号・□賛

□ 16 □走・□子・□彩

□ 17 寄□・□与・□答品

ア 響　イ 仰　ウ 沈　エ 繰　オ 迷
カ 傾　キ 驚　ク 盤　ケ 怒　コ 駆
サ 贈　シ 忙　ス 屈　セ 称　ソ 掘

□ 18 金□・□戸・連絡□

□ 19 □要・□出・□発

□ 20 □在・紹□・□抱

□ 21 市□・□路・□売

□ 22 □雪・□泊・濃□

□ 23 射□・□退・爆□

□ 24 □大・□人・□業

ア 摘　イ 撃　ウ 剣　エ 堅　オ 網
カ 兼　キ 偉　ク 販　ケ 恵　コ 肩
サ 介　シ 圏　ス 迎　セ 淡　ソ 継

11 ウ 沈　12 ク 盤　13 ケ 怒　14 シ 忙　15 セ 称　16 オ 迷　17 サ 贈

18 オ 網　19 ア 摘　20 サ 介　21 ク 販　22 セ 淡　23 イ 撃　24 キ 偉

漢字パズル 1

下のリストからタテとヨコのマス目にあう漢字をあてはめて、卍形のクロスワードをそれぞれ完成させましょう。

青		最		
	戸			議
		技		
会				

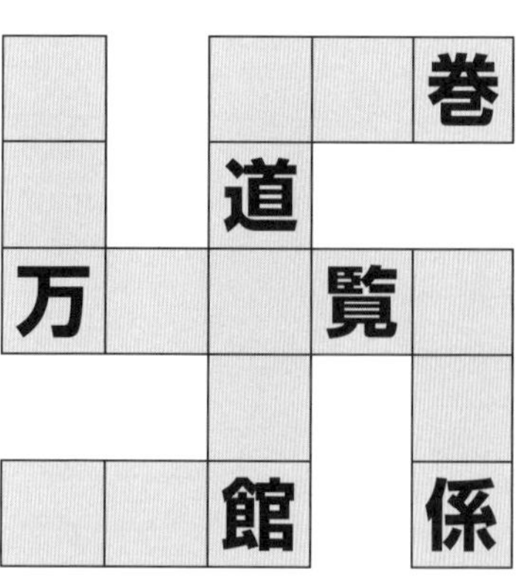

リスト

録　井　優
話　先　事
秀　天　端
術　会

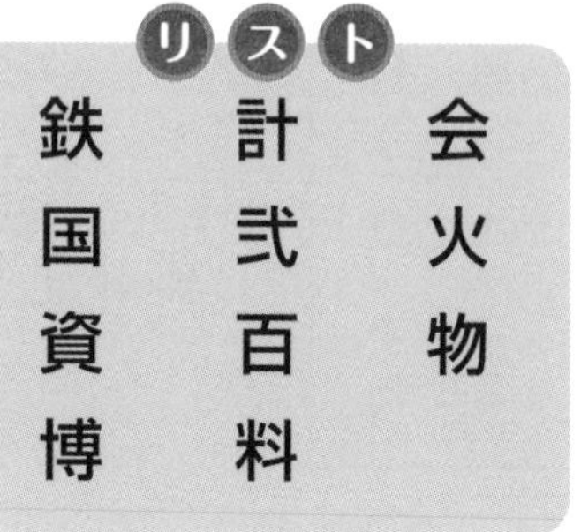

答え

青		最	優	秀
天		先		
井	戸	端	会	議
		技		事
会	話	術		録

弐		鉄	火	巻
百		道		
万	国	博	覧	会
		物		計
資	料	館		係

合否の分かれ目！

重要問題

第2章

合否の分かれ目！
頻出度 B

読み——①

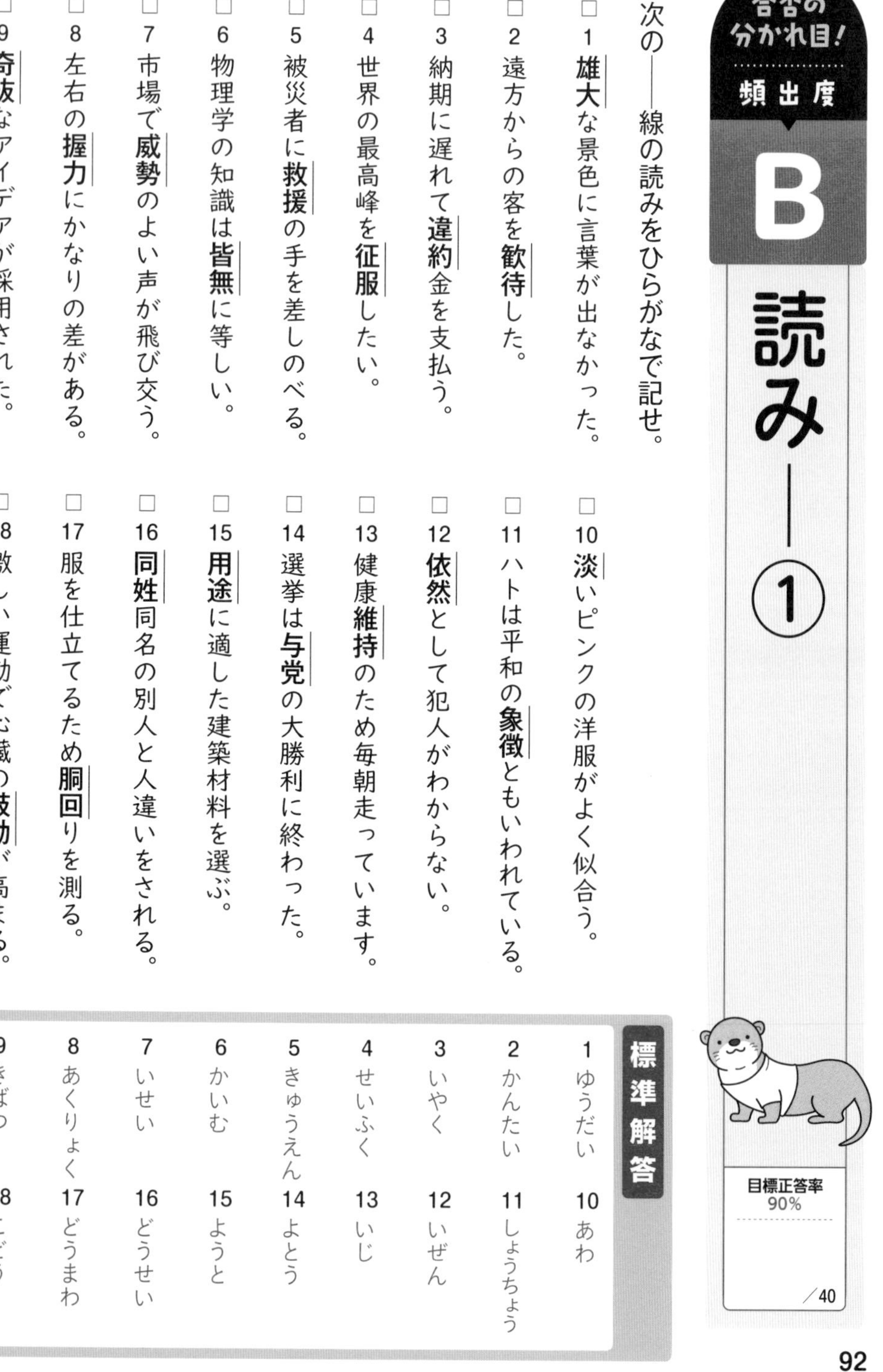

目標正答率 90%
／40

※次の——線の読みをひらがなで記せ。

□ 1 **雄大**な景色に言葉が出なかった。
□ 2 遠方からの客を**歓待**した。
□ 3 納期に遅れて**違約**金を支払う。
□ 4 世界の最高峰を**征服**したい。
□ 5 被災者に**救援**の手を差しのべる。
□ 6 物理学の知識は**皆無**に等しい。
□ 7 市場で**威勢**のよい声が飛び交う。
□ 8 左右の**握力**にかなりの差がある。
□ 9 **奇抜**なアイデアが採用された。
□ 10 **淡**いピンクの洋服がよく似合う。
□ 11 ハトは平和の**象徴**ともいわれている。
□ 12 **依然**として犯人がわからない。
□ 13 健康**維持**のため毎朝走っています。
□ 14 選挙は**与党**の大勝利に終わった。
□ 15 **用途**に適した建築材料を選ぶ。
□ 16 **同姓**同名の別人と人違いをされる。
□ 17 服を仕立てるため**胴回**りを測る。
□ 18 激しい運動で心臓の**鼓動**が高まる。

標準解答

1 ゆうだい
2 かんたい
3 いやく
4 せいふく
5 きゅうえん
6 かいむ
7 いせい
8 あくりょく
9 きばつ
10 あわ
11 しょうちょう
12 いぜん
13 いじ
14 よとう
15 ようと
16 どうせい
17 どうまわ
18 こどう

- □ 19 **網戸**を取り付けて虫の侵入を防ぐ。
- □ 20 何事も**真剣**に考えなさい。
- □ 21 **寸暇**をおしんで調査を続けている。
- □ 22 価格には消費税が**含**まれています。
- □ 23 **鎖**で会場の出入り口をふさいだ。
- □ 24 地域の**吹奏**楽団で活躍する。
- □ 25 反対を訴える市民運動が**盛**んだ。
- □ 26 新緑の季節に**沢登**りを楽しむ。
- □ 27 元気よく**駆**けまわっている。
- □ 28 他人にすぐに**迎合**すべきではない。
- □ 29 **耐久**性にすぐれた製品を開発する。
- □ 30 被災地では今なお**余震**が続く。
- □ 31 政治に**鈍感**でいてはだめだ。
- □ 32 応援で**絶叫**しすぎて声がかれた。
- □ 33 優勝して昨年の**汚名**をそそいだ。
- □ 34 前例を**踏襲**する方針です。
- □ 35 規格に**準拠**した製品を作る。
- □ 36 事実と**相違**ないことを証明します。
- □ 37 業界内での**暗黙**のルールに従う。
- □ 38 ピラニアは**鋭**い歯を持った魚だ。
- □ 39 最新の技術を**駆使**して製作する。
- □ 40 今が一番の**繁忙**期です。

19 あみど
20 しんけん
21 すんか
22 ふく
23 くさり
24 すいそう
25 さか
26 さわのぼ
27 か
28 げいごう
29 たいきゅう
30 よしん
31 どんかん
32 ぜっきょう
33 おめい
34 とうしゅう
35 じゅんきょ
36 そうい
37 あんもく
38 するど
39 くし
40 はんぼう

合否の分かれ目！ 頻出度 B

読み ― ②

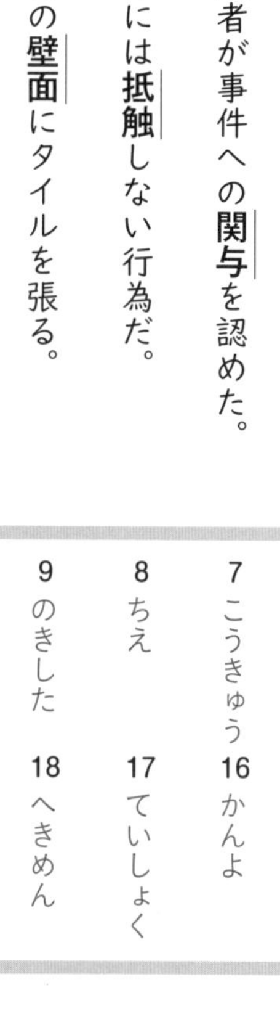

目標正答率 90%

／40

※次の――線の読みをひらがなで記せ。

□ 1 現実から**逃避**してはいけない。
□ 2 **軽薄**な言動はつつしみなさい。
□ 3 名人の**妙技**に感嘆の声を上げた。
□ 4 **需要**が高まって値段が上がった。
□ 5 台風の**襲来**に備える。
□ 6 晴れたら週末に**稲刈**りをしよう。
□ 7 **恒久**的な平和を祈願する。
□ 8 だれか**知恵**を貸してほしい。
□ 9 **軒下**をかりて雨宿りした。
□ 10 **生鮮**食料品売り場の担当です。
□ 11 適切な民間**療法**で完治した。
□ 12 シェークスピアの**戯曲**を上演する。
□ 13 **抜群**の営業成績をおさめる。
□ 14 古くからの製法を**堅持**している。
□ 15 軍備を増強して国力を**誇示**する。
□ 16 容疑者が事件への**関与**を認めた。
□ 17 法律には**抵触**しない行為だ。
□ 18 建物の**壁面**にタイルを張る。

標準解答

1 とうひ
2 けいはく
3 みょうぎ
4 じゅよう
5 しゅうらい
6 いねか
7 こうきゅう
8 ちえ
9 のきした
10 せいせん
11 りょうほう
12 ぎきょく
13 ばつぐん
14 けんじ
15 こじ
16 かんよ
17 ていしょく
18 へきめん

□ 19 **服飾**雑貨を販売する仕事に就く。
□ 20 さまざまな**憶測**が飛び交った。
□ 21 母が食事の**支度**をはじめた。
□ 22 **堅実**な経営ぶりに頭が下がる。
□ 23 努力の末、優勝に**輝**いた。
□ 24 公園の緑がとても**濃**くなってきた。
□ 25 日記の中で心情を**吐露**している。
□ 26 客に食事を**勧**めてもてなした。
□ 27 情景**描写**のうまい文章だ。
□ 28 **敏腕**弁護士として知られている。
□ 29 部屋の**奥**に絵を飾る。
□ 30 雑誌に**投稿**するのが趣味です。
□ 31 被災地の**惨状**が報道された。
□ 32 前人未到の**驚異**的な成績を残す。
□ 33 早起きして**身支度**をする。
□ 34 暑さもこの数日が**峠**だ。
□ 35 **信仰**の対象は人によって違う。
□ 36 **製菓**工場でケーキを生産する。
□ 37 事態は**切迫**している。
□ 38 複数の提案の中から**即決**で選ぶ。
□ 39 現状を打破する**妙案**が浮かんだ。
□ 40 庭に**繁茂**する雑草を除去した。

19 ふくしょく
20 おくそく
21 したく
22 けんじつ
23 かがや
24 こ
25 とろ
26 すす
27 びょうしゃ
28 びんわん
29 おく
30 とうこう
31 さんじょう
32 きょうい
33 みじたく
34 とうげ
35 しんこう
36 せいか
37 せっぱく
38 そっけつ
39 みょうあん
40 はんも

合否の分かれ目！
頻出度 B

読み――③

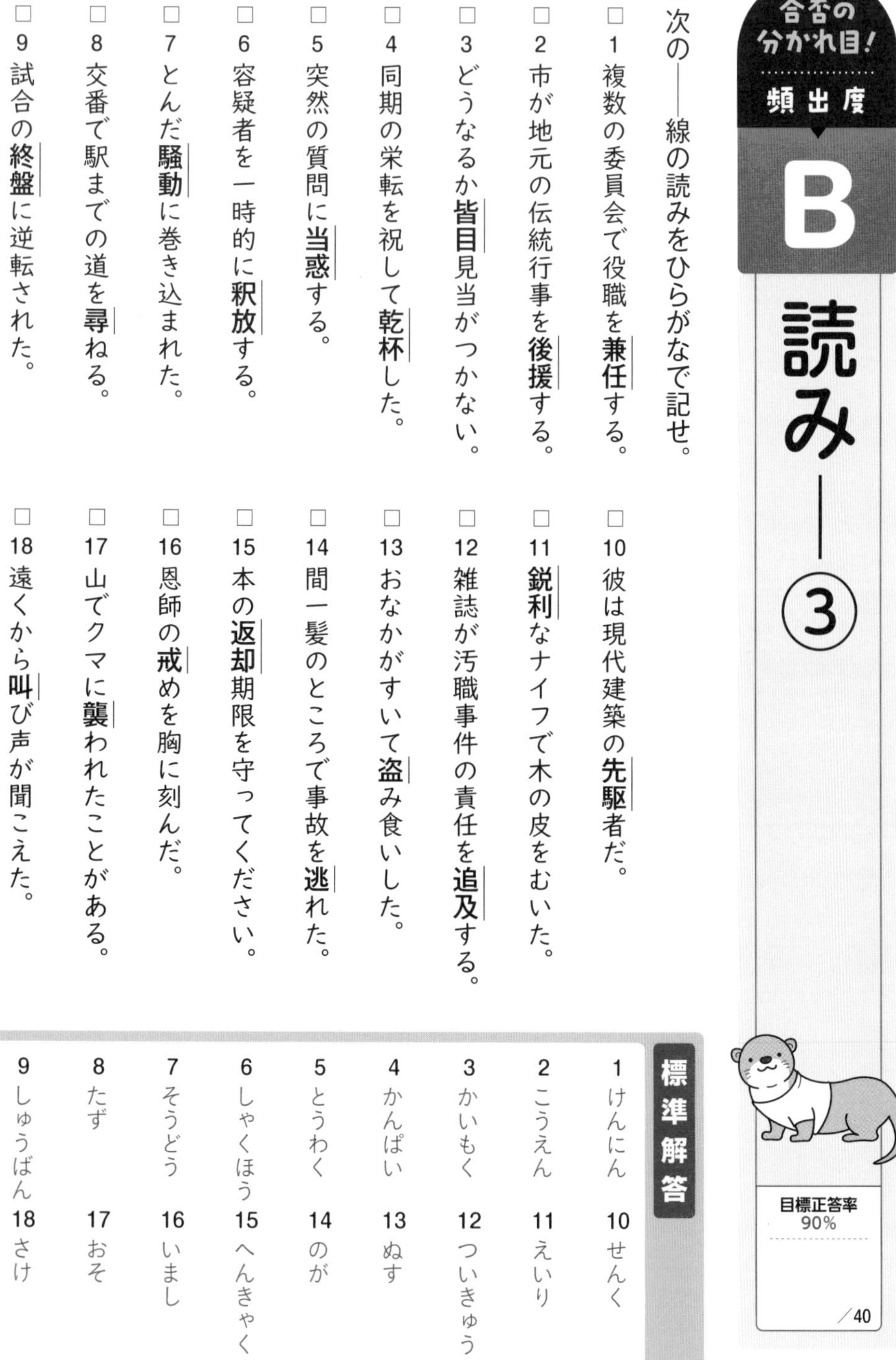

目標正答率 90%

／40

※次の――線の読みをひらがなで記せ。

□ 1 複数の委員会で役職を**兼任**する。
□ 2 市が地元の伝統行事を**後援**する。
□ 3 どうなるか**皆目**見当がつかない。
□ 4 同期の栄転を祝して**乾杯**した。
□ 5 突然の質問に**当惑**する。
□ 6 容疑者を一時的に**釈放**する。
□ 7 とんだ**騒動**に巻き込まれた。
□ 8 交番で駅までの道を**尋**ねる。
□ 9 試合の**終盤**に逆転された。
□ 10 彼は現代建築の**先駆**者だ。
□ 11 **鋭利**なナイフで木の皮をむいた。
□ 12 雑誌が汚職事件の責任を**追及**する。
□ 13 おなかがすいて**盗**み食いした。
□ 14 間一髪のところで事故を**逃**れた。
□ 15 本の**返却**期限を守ってください。
□ 16 恩師の**戒**めを胸に刻んだ。
□ 17 山でクマに**襲**われたことがある。
□ 18 遠くから**叫**び声が聞こえた。

標準解答

1 けんにん
2 こうえん
3 かいもく
4 かんぱい
5 とうわく
6 しゃくほう
7 そうどう
8 たず
9 しゅうばん
10 せんく
11 えいり
12 ついきゅう
13 ぬす
14 のが
15 へんきゃく
16 いまし
17 おそ
18 さけ

- □ 19 巨大な台風が来る前に**避難**する。
- □ 20 **微力**ながら何かの役に立ちたい。
- □ 21 この夕景は聞きしに**勝**る美しさだ。
- □ 22 **落雷**で屋根に穴が開いた。
- □ 23 湖の**汚濁**状況を調査する。
- □ 24 野球の試合で地方に**遠征**する。
- □ 25 **証拠**の品を提出する。
- □ 26 情勢が悪化してきたので**退却**した。
- □ 27 納品物を倉庫に**搬入**した。
- □ 28 現代社会を**風刺**したマンガだ。
- □ 29 極彩色の看板が**風致**を害する。
- □ 30 **最寄**りの駅を教えてください。
- □ 31 **御殿**のような家に住んでみたい。
- □ 32 事の**是非**を明らかにすべきだ。
- □ 33 被災地に物資を**援助**する。
- □ 34 **玄関**にユリの花を飾った。
- □ 35 サーカス団が地方を**巡業**する。
- □ 36 このところ**曇天**続きだ。
- □ 37 予算を**考慮**して計画を立てる。
- □ 38 とても**模範**的な生徒です。
- □ 39 どうも**煮**え切らない返事だ。
- □ 40 県大会では**砲丸**投げに出場します。

19 ひなん
20 びりょく
21 まさ
22 らくらい
23 おだく
24 えんせい
25 しょうこ
26 たいきゃく
27 はんにゅう
28 ふうし
29 ふうち
30 もよ
31 ごてん
32 ぜひ
33 えんじょ
34 げんかん
35 じゅんぎょう
36 どんてん
37 こうりょ
38 もはん
39 に
40 ほうがん

合否の分かれ目！
頻出度

B 読み —— ④

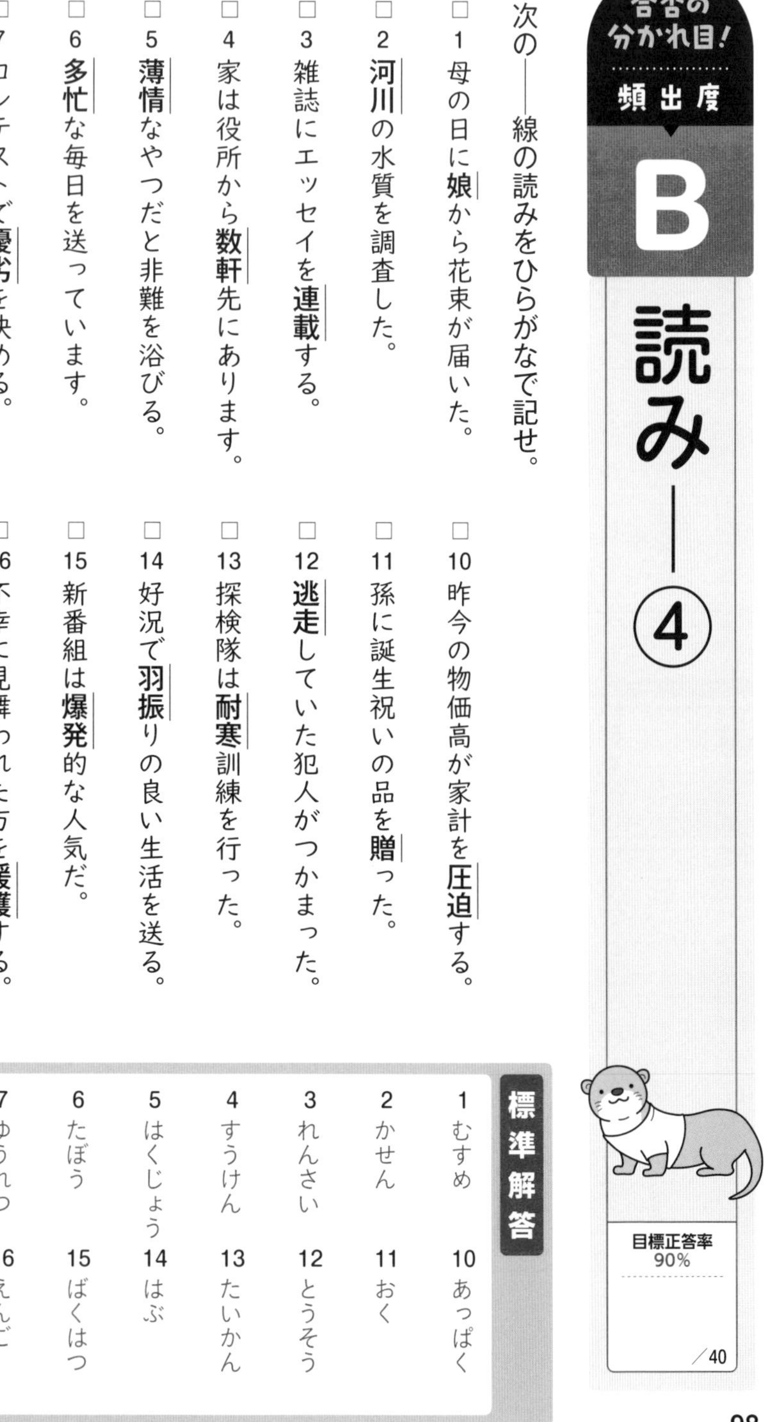

目標正答率 90%

／40

※次の——線の読みをひらがなで記せ。

□ 1 母の日に**娘**から花束が届いた。

□ 2 **河川**の水質を調査した。

□ 3 雑誌にエッセイを**連載**する。

□ 4 家は役所から**数軒**先にあります。

□ 5 **薄情**なやつだと非難を浴びる。

□ 6 **多忙**な毎日を送っています。

□ 7 コンテストで**優劣**を決める。

□ 8 重傷者を近くの病院に**搬送**する。

□ 9 **添乗**員の案内で観光した。

□ 10 昨今の物価高が家計を**圧迫**する。

□ 11 孫に誕生祝いの品を**贈**った。

□ 12 **逃走**していた犯人がつかまった。

□ 13 探検隊は**耐寒**訓練を行った。

□ 14 好況で**羽振**りの良い生活を送る。

□ 15 新番組は**爆発**的な人気だ。

□ 16 不幸に見舞われた方を**援護**する。

□ 17 試験の成績で特待生を**選抜**する。

□ 18 集中豪雨で大きな**被害**が出た。

標準解答

1 むすめ
2 かせん
3 れんさい
4 すうけん
5 はくじょう
6 たぼう
7 ゆうれつ
8 はんそう
9 てんじょう
10 あっぱく
11 おく
12 とうそう
13 たいかん
14 はぶ
15 ばくはつ
16 えんご
17 せんばつ
18 ひがい

□ 19 **無尽蔵**の資源を大切にしよう。
□ 20 **瞬時**の出来事にぼう然とした。
□ 21 国会の**中継**放送を見る。
□ 22 階段をふみ外して**転倒**した。
□ 23 対戦相手と固い**握手**を交わした。
□ 24 事故の**目撃**者を手分けしてさがす。
□ 25 うなぎの**養殖**に成功する。
□ 26 貴重な**珍獣**の写真です。
□ 27 何があっても弱音を**吐**かない。
□ 28 論文に**脚注**を書き加えた。
□ 29 月が雲に**隠**れて真っ暗になった。
□ 30 紙へいには**透**かし模様がある。
□ 31 雑誌の原稿を**依頼**された。
□ 32 彼は何事にも**慎重**だ。
□ 33 がんばって病気と**闘**っています。
□ 34 **手柄**を立てた部下をほめたたえる。
□ 35 危うく**甘言**につられそうになった。
□ 36 **神妙**な面持ちで結果を待つ。
□ 37 社長の発言で**波紋**が広がった。
□ 38 **医療**費の助成の手続きをとる。
□ 39 経営の**過渡期**にさしかかる。
□ 40 **沖**合漁業の船に乗せてもらった。

19 むじんぞう
20 しゅんじ
21 ちゅうけい
22 てんとう
23 あくしゅ
24 もくげき
25 ようしょく
26 ちんじゅう
27 は
28 きゃくちゅう
29 かく
30 す
31 いらい
32 しんちょう
33 たたか
34 てがら
35 かんげん
36 しんみょう
37 はもん
38 いりょう
39 かとき
40 おき

合否の分かれ目！
頻出度

B 読み —— ⑤

※次の——線の読みをひらがなで記せ。

- □ 1 他の論文からの盗用を**指摘**された。
- □ 2 民衆が**沈黙**を破って立ち上がった。
- □ 3 **人為**的な原因で事故が発生する。
- □ 4 **致命**的なミスを犯し責められる。
- □ 5 道端に**紫**色の花が咲いている。
- □ 6 **猛烈**な暑さの中で訓練が行われた。
- □ 7 川が**盆地**の中央部を流れている。
- □ 8 こぼした**米粒**を拾う。
- □ 9 才能を**眠**らせていてはいけない。
- □ 10 ふるさとの両親を**恋**しく思う。
- □ 11 **欲**しい家がなかなか見つからない。
- □ 12 温室での作業で**汗**だくだ。
- □ 13 世界中に**情報網**を張り巡らす。
- □ 14 晴雨**兼用**のかさを持参する。
- □ 15 責任を果たして**肩**の荷がおりた。
- □ 16 館内での飲食はご**遠慮**ください。
- □ 17 **歩幅**を小さくして雪道を歩く。
- □ 18 **剣豪**小説の人気が高まった。

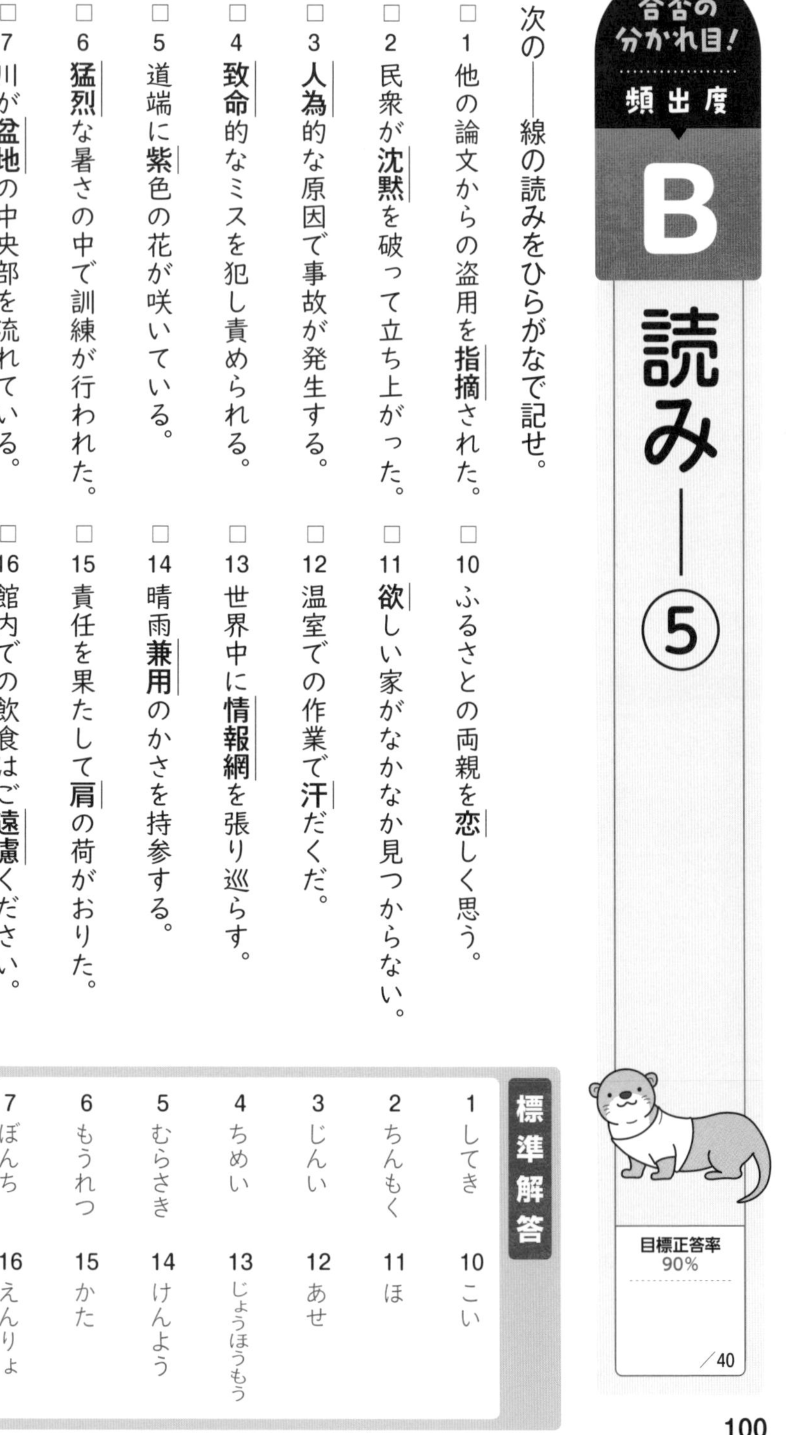

目標正答率 90%

／40

標準解答

1 してき
2 ちんもく
3 じんい
4 ちめい
5 むらさき
6 もうれつ
7 ぼんち
8 こめつぶ
9 ねむ
10 こい
11 ほ
12 あせ
13 じょうほうもう
14 けんよう
15 かた
16 えんりょ
17 ほはば
18 けんごう

□ 19 大学で物理を**専攻**する。
□ 20 不満を抱いて政党から**離脱**する。
□ 21 **鈍重**な動作にいらついた。
□ 22 **脂肪**はエネルギー源となる。
□ 23 田舎では車が**必需品**だ。
□ 24 知人に家族を**紹介**する。
□ 25 たまには朝**寝坊**をしたいと思う。
□ 26 **丈夫**なひもで結んだ。
□ 27 工事の音に**安眠**をさまたげられた。
□ 28 光をレンズで**屈折**させる。
□ 29 年老いた両親の健康を**気遣**う。
□ 30 四輪**駆動**車で山道を上った。
□ 31 夏は**素足**が気持ち良い。
□ 32 品不足で**入荷**が遅れています。
□ 33 動物保護の**支援**団体です。
□ 34 今年の新人は**粒**ぞろいだ。
□ 35 布に洗剤の**溶液**をしみ込ませる。
□ 36 学生時代に万葉の**秀歌**に親しんだ。
□ 37 人権**侵害**は許されない。
□ 38 争いごとは**避**けたい。
□ 39 彼は**後輩**の面倒をよくみる。
□ 40 **円盤**を空高く投げた。

19 せんこう
20 りだつ
21 どんじゅう
22 しぼう
23 ひつじゅひん
24 しょうかい
25 ねぼう
26 じょうぶ
27 あんみん
28 くっせつ
29 きづか
30 くどう
31 すあし
32 にゅうか
33 しえん
34 つぶ
35 ようえき
36 しゅうか
37 しんがい
38 さ
39 こうはい
40 えんばん

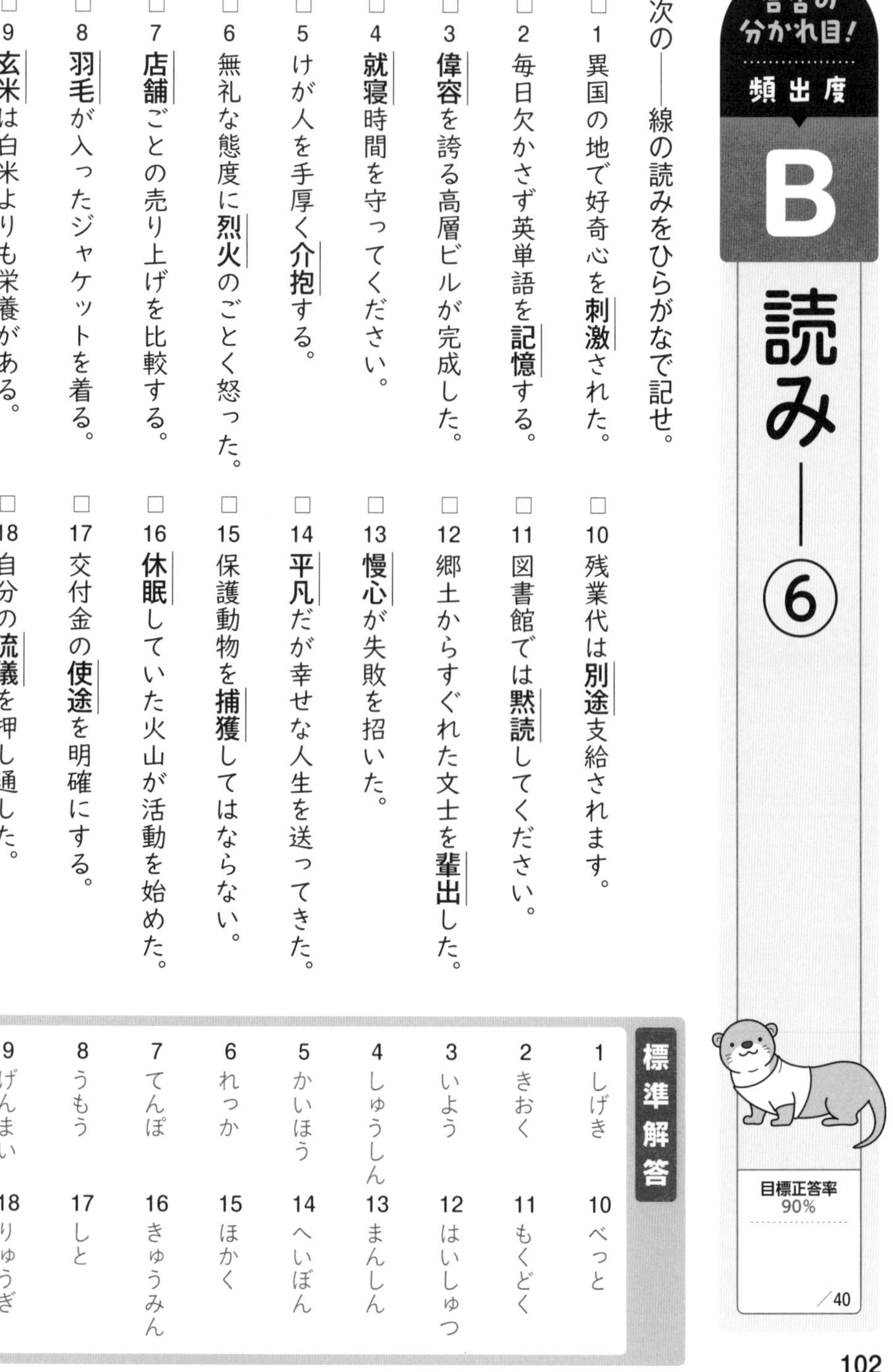

合否の分かれ目！
頻出度 B

読み ⑥

目標正答率 90%
／40

※次の――線の読みをひらがなで記せ。

□ 1 異国の地で好奇心を**刺激**された。
□ 2 毎日欠かさず英単語を**記憶**する。
□ 3 **偉容**を誇る高層ビルが完成した。
□ 4 **就寝**時間を守ってください。
□ 5 けが人を手厚く**介抱**する。
□ 6 無礼な態度に**烈火**のごとく怒った。
□ 7 **店舗**ごとの売り上げを比較する。
□ 8 **羽毛**が入ったジャケットを着る。
□ 9 **玄米**は白米よりも栄養がある。
□ 10 残業代は**別途**支給されます。
□ 11 図書館では**黙読**してください。
□ 12 郷土からすぐれた文士を**輩出**した。
□ 13 **慢心**が失敗を招いた。
□ 14 **平凡**だが幸せな人生を送ってきた。
□ 15 保護動物を**捕獲**してはならない。
□ 16 **休眠**していた火山が活動を始めた。
□ 17 交付金の**使途**を明確にする。
□ 18 自分の**流儀**を押し通した。

標準解答

1 しげき
2 きおく
3 いよう
4 しゅうしん
5 かいほう
6 れっか
7 てんぽ
8 うもう
9 げんまい
10 べっと
11 もくどく
12 はいしゅつ
13 まんしん
14 へいぼん
15 ほかく
16 きゅうみん
17 しと
18 りゅうぎ

□ 19 **路傍**に咲く小さな花に気がついた。

□ 20 人気を**独占**しているマンガだ。

□ 21 毎日、**病床**の母を見舞う。

□ 22 一通の投書が大**反響**を呼んだ。

□ 23 **霧**が出てきたので下山した。

□ 24 現場に**精鋭**部隊を送り込む。

□ 25 日照りで大きな痛手を**被**った。

□ 26 とうがらしには**発汗**作用がある。

□ 27 船には**積載**量の上限がある。

□ 28 会社の**浮沈**にかかわる大事だ。

□ 29 **跳躍**競技の選手として有名だ。

□ 30 決まったことを**率先**して実行する。

□ 31 港に大きな貨物船が**停泊**している。

□ 32 苦しい言い訳をして**脂汗**をかいた。

□ 33 海水浴場の安全を**監視**する。

□ 34 人が住んでいた**形跡**がある。

□ 35 卒業生の**前途**を祝福する。

□ 36 **色彩**の豊かな油絵を描く画家だ。

□ 37 スピーチの**草稿**が出来上がった。

□ 38 昼夜を問わず敵に**砲撃**を浴びせた。

□ 39 **内需**を拡大して景気を回復する。

□ 40 一度の失敗で**腐**ってはいけない。

19 ろぼう
20 どくせん
21 びょうしょう
22 はんきょう
23 きり
24 せいえい
25 こうむ
26 はっかん
27 せきさい
28 ふちん
29 ちょうやく
30 そっせん
31 ていはく
32 あぶらあせ
33 かんし
34 けいせき
35 ぜんと
36 しきさい
37 そうこう
38 ほうげき
39 ないじゅ
40 くさ

読み―⑦

※次の――線の読みをひらがなで記せ。

□ 1 温泉に入って**疲**れをいやした。
□ 2 インフルエンザが**猛威**を振るった。
□ 3 体操の**跳馬**で難しい技を決めた。
□ 4 **縁日**で多数の露店が軒を連ねる。
□ 5 選手全員そろって**円陣**を組む。
□ 6 敵対している国の通信を**傍受**した。
□ 7 連勝を重ねて**偉業**を成しとげる。
□ 8 ねらった**獲物**は決してのがさない。
□ 9 立山**連峰**を背景に写真をとった。
□ 10 海外に活動の**拠点**を置く。
□ 11 一目で**間違**いだと気づいた。
□ 12 **介護**保険制度を利用する。
□ 13 一人娘を事故で失い**悲嘆**に暮れる。
□ 14 大雨で**堤**が決壊する恐れがある。
□ 15 経理と営業の部長職を**兼務**する。
□ 16 これは母の**自慢**の料理です。
□ 17 卒業式を**執**り行う。
□ 18 どこか**釈然**としない思いが残る。

標準解答

1 つか
2 もうい
3 ちょうば
4 えんにち
5 えんじん
6 ぼうじゅ
7 いぎょう
8 えもの
9 れんぽう
10 きょてん
11 まちが
12 かいご
13 ひたん
14 つつみ
15 けんむ
16 じまん
17 と
18 しゃくぜん

□19 アリが**触角**を動かして周囲を探る。
□20 大雨で村中が**水浸**しになった。
□21 合成**樹脂**が広く利用されている。
□22 業績が好調で**賞与**が支給された。
□23 塩分ひかえめの**薄味**の料理を好む。
□24 各政治勢力は**離合**を繰り返した。
□25 著作者から**転載**の許可を得る。
□26 心配そうに顔を**曇**らせた。
□27 試験で満点をとり**有頂天**になった。
□28 海外に留学生を**派遣**する。
□29 **舗道**に街灯が設置された。

□30 五重の**塔**がそびえ立つ。
□31 違反者を厳重に**処罰**する。
□32 **軽率**な行動は慎みなさい。
□33 書類に名前と住所を**記載**する。
□34 食事会に**多彩**な顔ぶれが集まる。
□35 寒さで体が**震**えた。
□36 領土を広げて王国が**全盛**を極めた。
□37 彼の顔に**苦悩**の色がにじんだ。
□38 登山で**健脚**ぶりを発揮した。
□39 彼は**鋭敏**な感覚の持ち主だ。
□40 家業を**息子**に継がせるつもりだ。

19 しょっかく
20 みずびた
21 じゅし
22 しょうよ
23 うすあじ
24 りごう
25 てんさい
26 くも
27 うちょうてん
28 はけん
29 ほどう
30 とう
31 しょばつ
32 けいそつ
33 きさい
34 たさい
35 ふる
36 ぜんせい
37 くのう
38 けんきゃく
39 えいびん
40 むすこ

合否の分かれ目！ 頻出度 B

書き取り―①

目標正答率 80%　／40

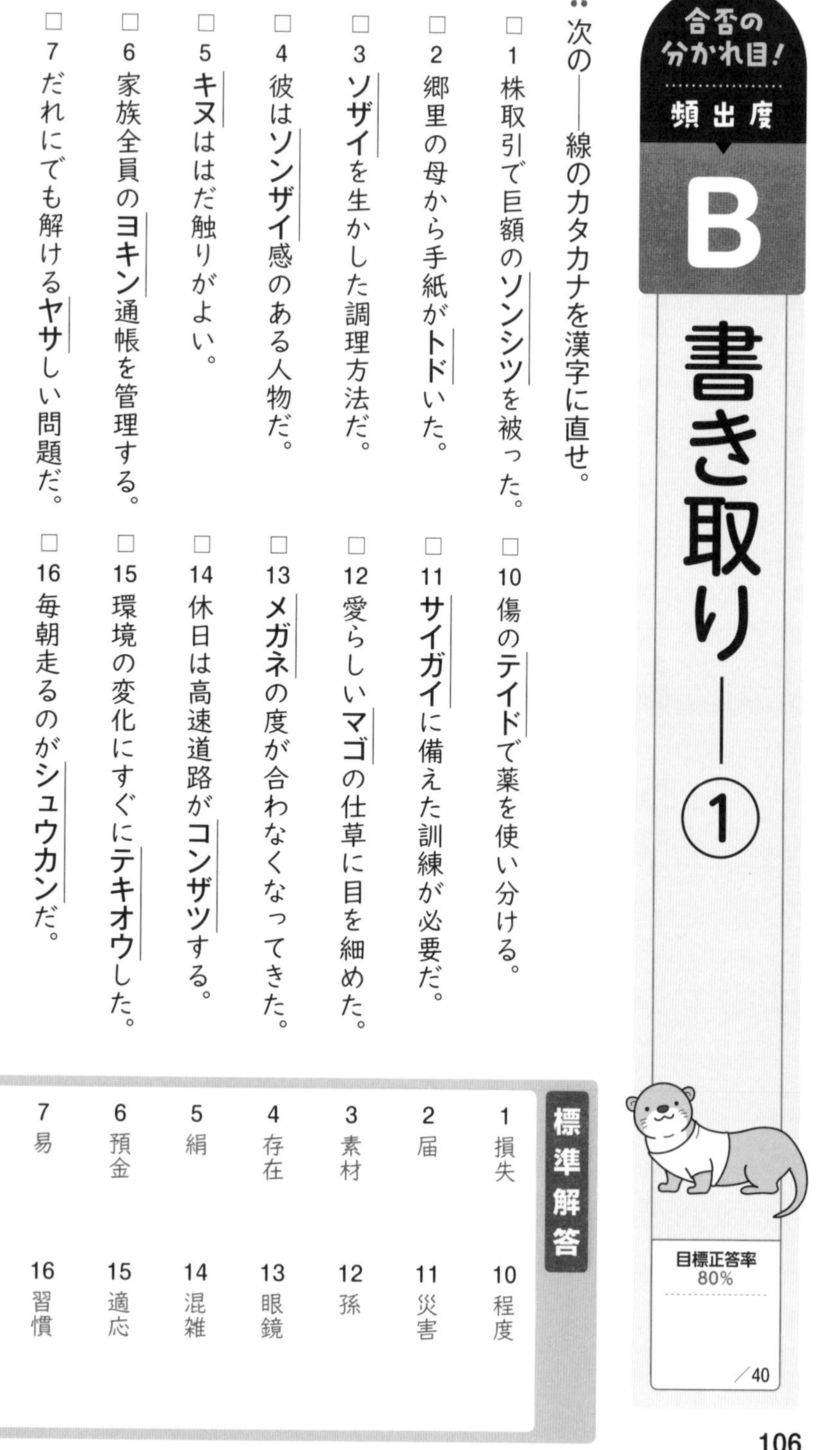

※次の――線のカタカナを漢字に直せ。

- □ 1 株取引で巨額の**ソンシツ**を被った。
- □ 2 郷里の母から手紙が**トド**いた。
- □ 3 **ソザイ**を生かした調理方法だ。
- □ 4 彼は**ソンザイ**感のある人物だ。
- □ 5 **キヌ**ははだ触りがよい。
- □ 6 家族全員の**ヨキン**通帳を管理する。
- □ 7 だれにでも解ける**ヤサ**しい問題だ。
- □ 8 天気の良い日はふとんを**ホ**す。
- □ 9 昔、日本は通商を**ト**ざしていた。
- □ 10 傷の**テイド**で薬を使い分ける。
- □ 11 **サイガイ**に備えた訓練が必要だ。
- □ 12 愛らしい**マゴ**の仕草に目を細めた。
- □ 13 **メガネ**の度が合わなくなってきた。
- □ 14 休日は高速道路が**コンザツ**する。
- □ 15 環境の変化にすぐに**テキオウ**した。
- □ 16 毎朝走るのが**シュウカン**だ。
- □ 17 盆に**ソセン**の墓参りをする。
- □ 18 **アツデ**のカーテンで光をさえぎる。

標準解答

1	損失	10	程度
2	届	11	災害
3	素材	12	孫
4	存在	13	眼鏡
5	絹	14	混雑
6	預金	15	適応
7	易	16	習慣
8	干	17	祖先
9	閉	18	厚手

□ 19 犯したツミブカい行為をくやむ。
□ 20 隣国とドウメイを結ぶ。
□ 21 マドベのテーブルに写真を飾る。
□ 22 ヒタイに汗してけんめいに働いた。
□ 23 彼はボウエキ商を営んでいる。
□ 24 議題をカンケツに説明する。
□ 25 街で自分をヨぶ声に振り向いた。
□ 26 責任を取って社長の職をシリゾく。
□ 27 細かいところに目をクバる。
□ 28 美しいネイロに心ひかれる。
□ 29 機械がコショウした。
□ 30 ミガッテな行動をたしなめる。
□ 31 テレビで商品をセンデンする。
□ 32 両国はミッセツな関係にある。
□ 33 立派なモンガマえの家だ。
□ 34 歴史にオテンを残す悪法だ。
□ 35 大臣が失言をベンメイする。
□ 36 大根をワギりにして煮込んだ。
□ 37 一年通してオンダンな気候だ。
□ 38 あやまちを強くセめる。
□ 39 カメイ団体が増加した。
□ 40 子どもがウラニワで遊んでいる。

19 罪深
20 同盟
21 窓辺
22 額
23 貿易
24 簡潔
25 呼
26 退
27 配
28 音色
29 故障
30 身勝手
31 宣伝
32 密接
33 門構
34 汚点
35 弁明
36 輪切
37 温暖
38 責
39 加盟
40 裏庭

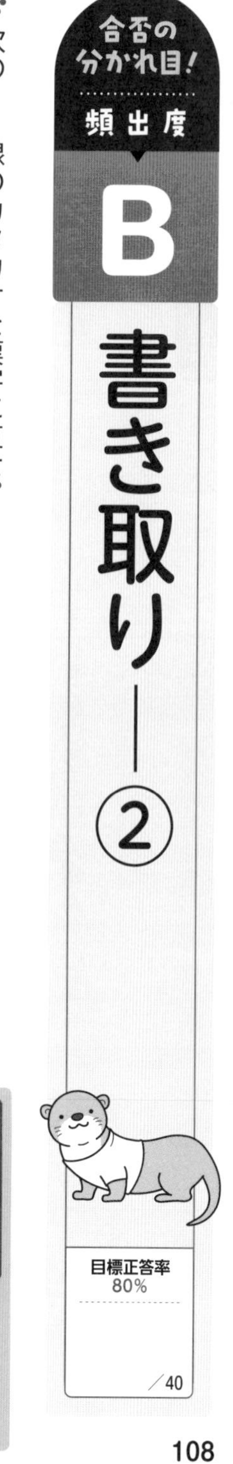

書き取り —— ②

※次の——線のカタカナを漢字に直せ。

□ 1 木版画をスった。
□ 2 美白化しょう品のコウカが現れる。
□ 3 右のオクバに痛みを感じる。
□ 4 エンドウにはファンが詰めかけた。
□ 5 説明不足で誤解をマネいた。
□ 6 着物のテンジ会に行く。
□ 7 一点をシシュして勝利した。
□ 8 将来は画家をシボウしている。
□ 9 糸をつむいで布をオる。
□ 10 高くて手がトドかない。
□ 11 洗たくものをホす。
□ 12 ザッシを家まで届けてもらう。
□ 13 キョウド料理の店に入った。
□ 14 シルクロードはキヌの道のことだ。
□ 15 被害のテイドを調査する。
□ 16 二酸化炭素の濃さをソクテイする。
□ 17 タンペン小説を三日で書き上げた。
□ 18 子どもがシナイをふり回す。

標準解答

1 刷
2 効果
3 奥歯
4 沿道
5 招
6 展示
7 死守
8 志望
9 織
10 届
11 干
12 雑誌
13 郷土
14 絹
15 程度
16 測定
17 短編
18 竹刀

□ 19 寒さで池に氷が**ハ**っている。
□ 20 **ツウジョウ**は事業所に出勤する。
□ 21 恩師のお**メガネ**にかない助手になる。
□ 22 宿題を**ス**ませてから遊びに行く。
□ 23 郷に入っては郷に**シタガ**え。
□ 24 職人の**ジュクレン**の技におどろく。
□ 25 平和の大切さを**ウッタ**える。
□ 26 道を**ナナ**めに横断する。
□ 27 調味料を移し替えたら**メベ**りした。
□ 28 **シキュウ**の連絡があった。
□ 29 **テアツ**いもてなしを受けた。
□ 30 朝礼で従業員を**テンコ**する。
□ 31 柱のいたんだ部分を**ホキョウ**する。
□ 32 **ユタ**かな土で野菜を育てる。
□ 33 **コメダワラ**を軽々と持ち上げる。
□ 34 地球温暖化**ボウシ**策を講じる。
□ 35 友人と連絡を**ミツ**にする。
□ 36 努力の末、**メイヨ**ある賞に輝いた。
□ 37 部屋に真っ白な**カベガミ**をはる。
□ 38 生活**ヒツジュ**品の価格が上がった。
□ 39 建設のため**ジュモク**を切り落とす。
□ 40 その発言は**ヨケイ**だった。

19 張
20 通常
21 眼鏡
22 済
23 従
24 熟練
25 訴
26 斜
27 目減
28 至急
29 手厚
30 点呼
31 補強
32 豊
33 米俵
34 防止
35 密
36 名誉
37 壁紙
38 必需
39 樹木
40 余計

合否の分かれ目！
頻出度

B 書き取り —— ③

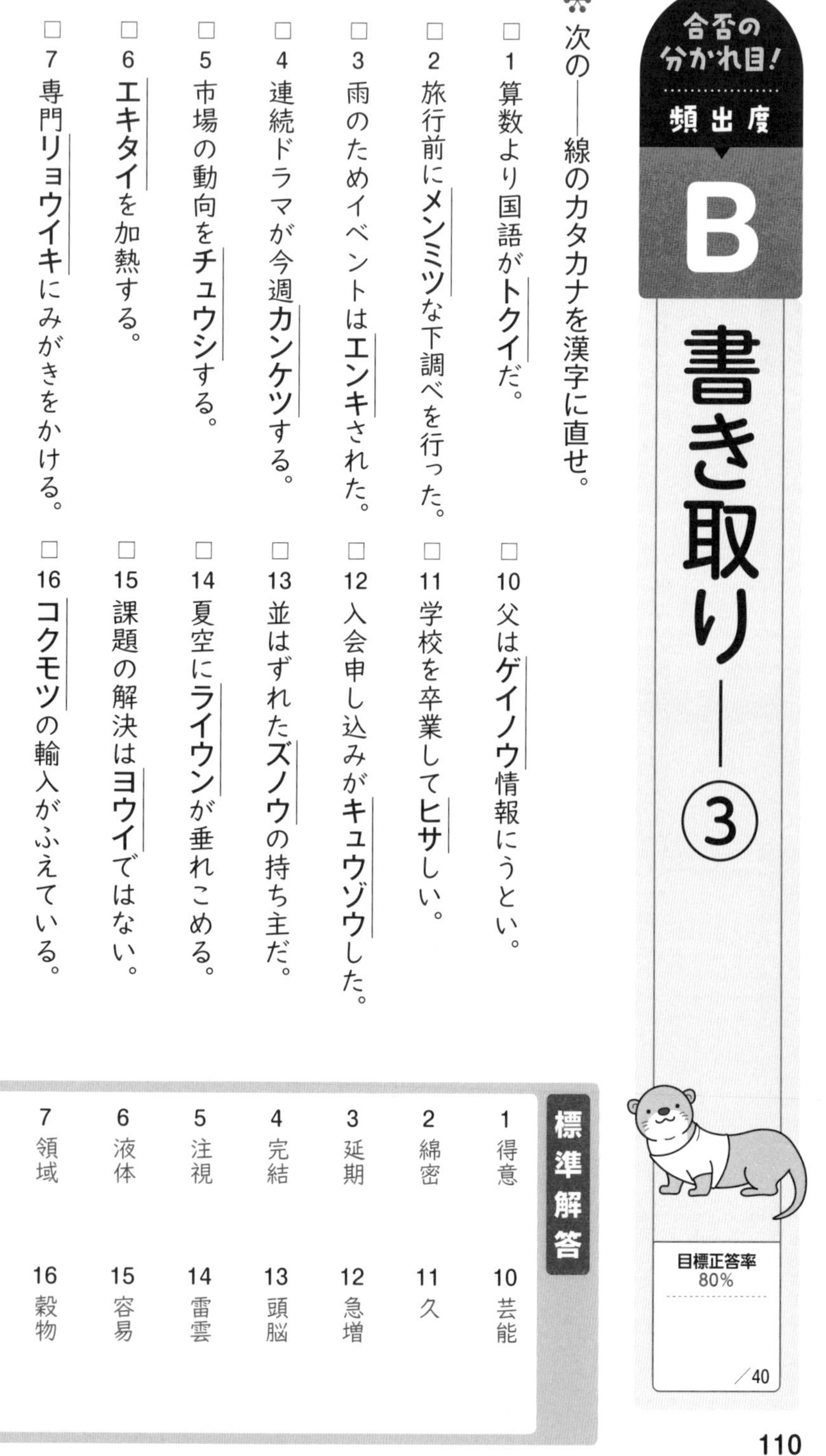

目標正答率 80%

／40

※次の——線のカタカナを漢字に直せ。

□ 1 算数より国語が**トクイ**だ。

□ 2 旅行前に**メンミツ**な下調べを行った。

□ 3 雨のためイベントは**エンキ**された。

□ 4 連続ドラマが今週**カンケツ**する。

□ 5 市場の動向を**チュウシ**する。

□ 6 **エキタイ**を加熱する。

□ 7 専門**リョウイキ**にみがきをかける。

□ 8 **ハイイロ**の空から雨が落ちてきた。

□ 9 入院中に**ガイハク**の許可が下りた。

□ 10 父は**ゲイノウ**情報にうとい。

□ 11 学校を卒業して**ヒサ**しい。

□ 12 入会申し込みが**キュウゾウ**した。

□ 13 並はずれた**ズノウ**の持ち主だ。

□ 14 夏空に**ライウン**が垂れこめる。

□ 15 課題の解決は**ヨウイ**ではない。

□ 16 **コクモツ**の輸入がふえている。

□ 17 週末は**シュミ**に熱中する。

□ 18 **アンミン**に効果のあるお茶を飲む。

標準解答

1	得意	10	芸能
2	綿密	11	久
3	延期	12	急増
4	完結	13	頭脳
5	注視	14	雷雲
6	液体	15	容易
7	領域	16	穀物
8	灰色	17	趣味
9	外泊	18	安眠

□ 19 寒さで身が**チヂ**まった。
□ 20 押し入れに**ウモウ**布団をしまう。
□ 21 そろそろ**コロモ**替えの時期だ。
□ 22 父親に**ニ**てまじめな性格だ。
□ 23 終日**スワ**って作業している。
□ 24 サプリメントで栄養を**オギナ**う。
□ 25 **キヌ**の手触りと光沢が好きだ。
□ 26 入学や卒業は人生の**フシメ**だ。
□ 27 古くなった家電を**ス**てる。
□ 28 遊園地の**カンラン**車に乗った。
□ 29 本を読んで**シヤ**を広げる。
□ 30 剣道の大会で使った**シナイ**だ。
□ 31 ストレスで**イチョウ**の具合がよくない。
□ 32 **メガネ**を新調した。
□ 33 **スガオ**をさらけ出す。
□ 34 子どもに**ボウハン**ブザーを持たせる。
□ 35 **タガ**いに認め合う仲だ。
□ 36 運動の**シュウカン**が身についた。
□ 37 **ドヒョウ**ぎわでの、きわどい勝負だ。
□ 38 旅の**ミヤゲ**話で盛り上がった。
□ 39 大工の**カシラ**が現場を指揮する。
□ 40 両親の期待を**オモニ**に感じる。

19 縮
20 羽毛
21 衣
22 似
23 座
24 補
25 絹
26 節目
27 捨
28 観覧
29 視野
30 竹刀
31 胃腸
32 眼鏡
33 素顔
34 防犯
35 互
36 習慣
37 土俵
38 土産
39 頭
40 重荷

合否の分かれ目！ 頻出度 B

書き取り — ④

目標正答率 80%
／40

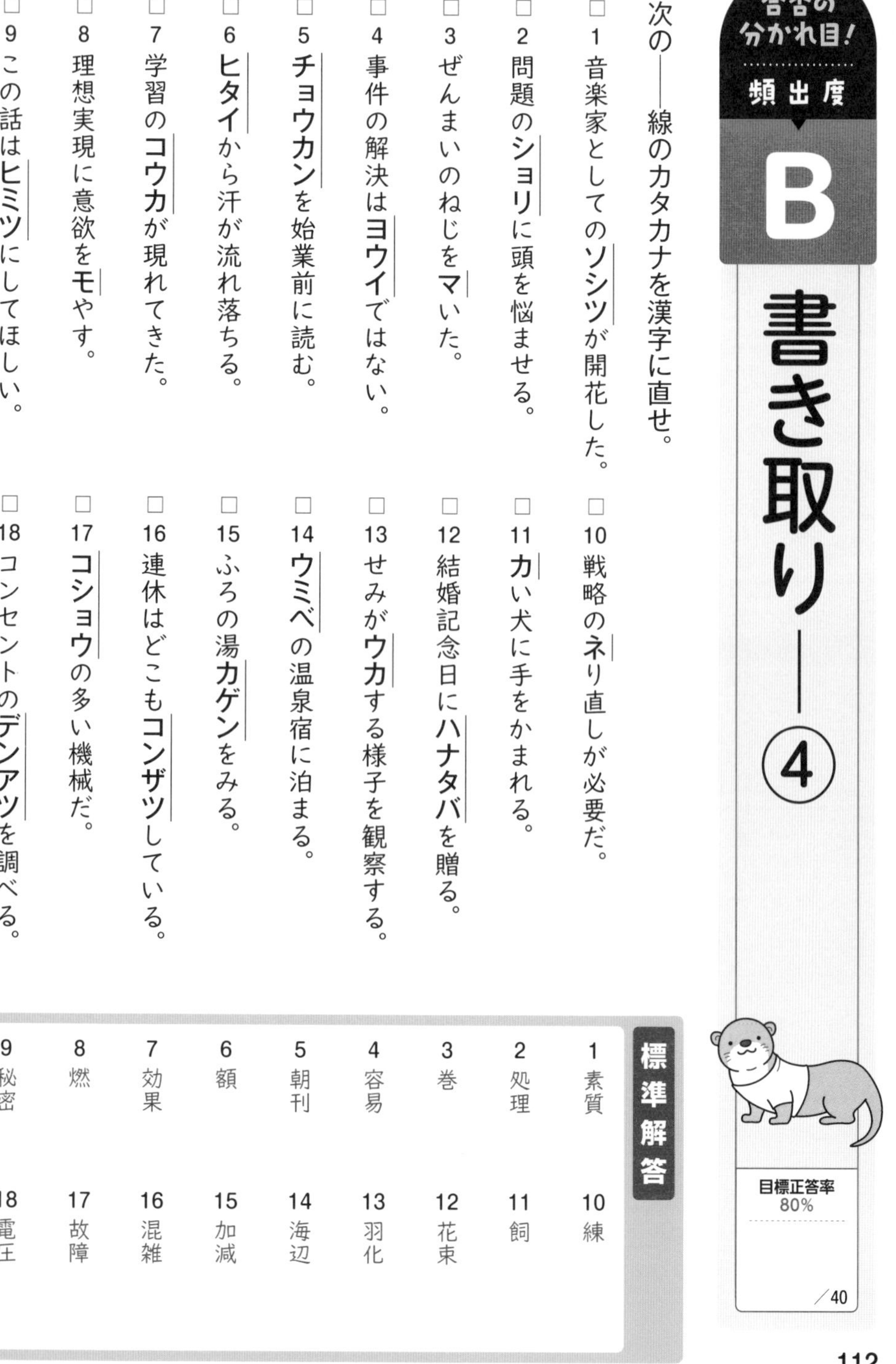

※次の——線のカタカナを漢字に直せ。

□ 1 音楽家としての**ソシツ**が開花した。
□ 2 問題の**ショリ**に頭を悩ませる。
□ 3 ぜんまいのねじを**マ**いた。
□ 4 事件の解決は**ヨウイ**ではない。
□ 5 **チョウカン**を始業前に読む。
□ 6 **ヒタイ**から汗が流れ落ちる。
□ 7 学習の**コウカ**が現れてきた。
□ 8 理想実現に意欲を**モ**やす。
□ 9 この話は**ヒミツ**にしてほしい。
□ 10 戦略の**ネ**り直しが必要だ。
□ 11 **カ**い犬に手をかまれる。
□ 12 結婚記念日に**ハナタバ**を贈る。
□ 13 せみが**ウカ**する様子を観察する。
□ 14 **ウミベ**の温泉宿に泊まる。
□ 15 ふろの湯**カゲン**をみる。
□ 16 連休はどこも**コンザツ**している。
□ 17 **コショウ**の多い機械だ。
□ 18 コンセントの**デンアツ**を調べる。

標準解答

1 素質
2 処理
3 巻
4 容易
5 朝刊
6 額
7 効果
8 燃
9 秘密
10 練
11 飼
12 花束
13 羽化
14 海辺
15 加減
16 混雑
17 故障
18 電圧

□ 19 **カンケツ**にまとめられた文章だ。
□ 20 **シャソウ**からの風景をながめる。
□ 21 線路**ゾ**いをひたすら歩いた。
□ 22 学校の**キソク**を守る。
□ 23 草木で**キヌイト**を染める。
□ 24 成功に**ミチビ**く最善の方法だ。
□ 25 **カンバン**女優として活躍する。
□ 26 試験会場を**ツウチ**する。
□ 27 形式的な儀礼を**ショウリャク**する。
□ 28 **ボウエキ**船が港に停泊している。
□ 29 ご飯は大**モ**りにしてください。
□ 30 書類に**ショメイ**をお願いします。
□ 31 木の切り**カブ**に腰を下ろす。
□ 32 運動で足の**キンニク**をきたえる。
□ 33 強風で画面の**エイゾウ**がとだえた。
□ 34 彼は有名な**ケンチク**家だ。
□ 35 **シュウエキ**改善への道筋をつける。
□ 36 わが子は目に入れても**イタ**くない。
□ 37 先生にしかられ目が**サ**めた。
□ 38 安心して仕事を**マカ**せられる人だ。
□ 39 館内はまるで**メイロ**のようだった。
□ 40 会社で経理を**タントウ**する。

19 簡潔
20 車窓
21 沿
22 規則
23 絹糸
24 導
25 看板
26 通知
27 省略
28 貿易
29 盛
30 署名
31 株
32 筋肉
33 映像
34 建築
35 収益
36 痛
37 覚
38 任
39 迷路
40 担当

書き取り――⑤

※次の――線のカタカナを漢字に直せ。

- □ 1 人生のフシメに一大決心をする。
- □ 2 テンジ会で掘り出し物をみつけた。
- □ 3 探査機が大気圏にトツニュウした。
- □ 4 同じドヒョウで話し合おう。
- □ 5 手柄をたててカブを上げる。
- □ 6 日本のスガオを映像で紹介する。
- □ 7 早寝早起きをシュウカンづける。
- □ 8 ミッペイ容器におかずを詰める。
- □ 9 失敗を乗り越えサイキを果たす。
- □ 10 本がザツゼンと積まれている。
- □ 11 エダの先に小鳥が止まっている。
- □ 12 決勝でキョウテキを打ち破る。
- □ 13 真っ暗な道をテサグりで進んだ。
- □ 14 旅行が元気のミナモトだ。
- □ 15 キョジュウ地を海外に移す。
- □ 16 救出にあらゆるシュダンを尽くす。
- □ 17 ジキテープに録音する。
- □ 18 新しい歴史の一ページをキザむ。

標準解答

1	節目	10	雑然
2	展示	11	枝
3	突入	12	強敵
4	土俵	13	手探
5	株	14	源
6	素顔	15	居住
7	習慣	16	手段
8	密閉	17	磁気
9	再起	18	刻

□ 19 腕に包帯を**マ**く。
□ 20 お祝いに**ハナタバ**を贈る。
□ 21 敗北に**シタウ**ちしてくやしがった。
□ 22 彼の発言はいつも**マト**を射ている。
□ 23 玄関のドアを**イキオ**いよく開ける。
□ 24 室内を**セイケツ**に保つ。
□ 25 米**ダワラ**を軽々と持ち上げる。
□ 26 わが家では犬を**カ**っています。
□ 27 発表会でギターを**ドクソウ**した。
□ 28 受注品の**ノウキ**が遅れている。
□ 29 **ホンモウ**をとげるまであきらめない。
□ 30 **ニュウセイヒン**の消費量が増える。
□ 31 本殿を**ハイカン**する。
□ 32 **モンク**を言われて腹が立つ。
□ 33 **コナユキ**が舞う夜空を見上げる。
□ 34 歯車が**レンドウ**して回転する。
□ 35 **ジュウバコ**のすみをつつく発言だ。
□ 36 危険をすばやく**サッチ**する。
□ 37 屋敷の**ウラテ**に回る。
□ 38 自国の**リョウド**を守るために戦った。
□ 39 男女の**ワリアイ**はほぼ半々だ。
□ 40 チームを**ヒキ**いて勝利に導いた。

19	巻	30	乳製品
20	花束	31	拝観
21	舌打	32	文句
22	的	33	粉雪
23	勢	34	連動
24	清潔	35	重箱
25	俵	36	察知
26	飼	37	裏手
27	独奏	38	領土
28	納期	39	割合
29	本望	40	率

合否の分かれ目！
頻出度
B

書き取り ⑥

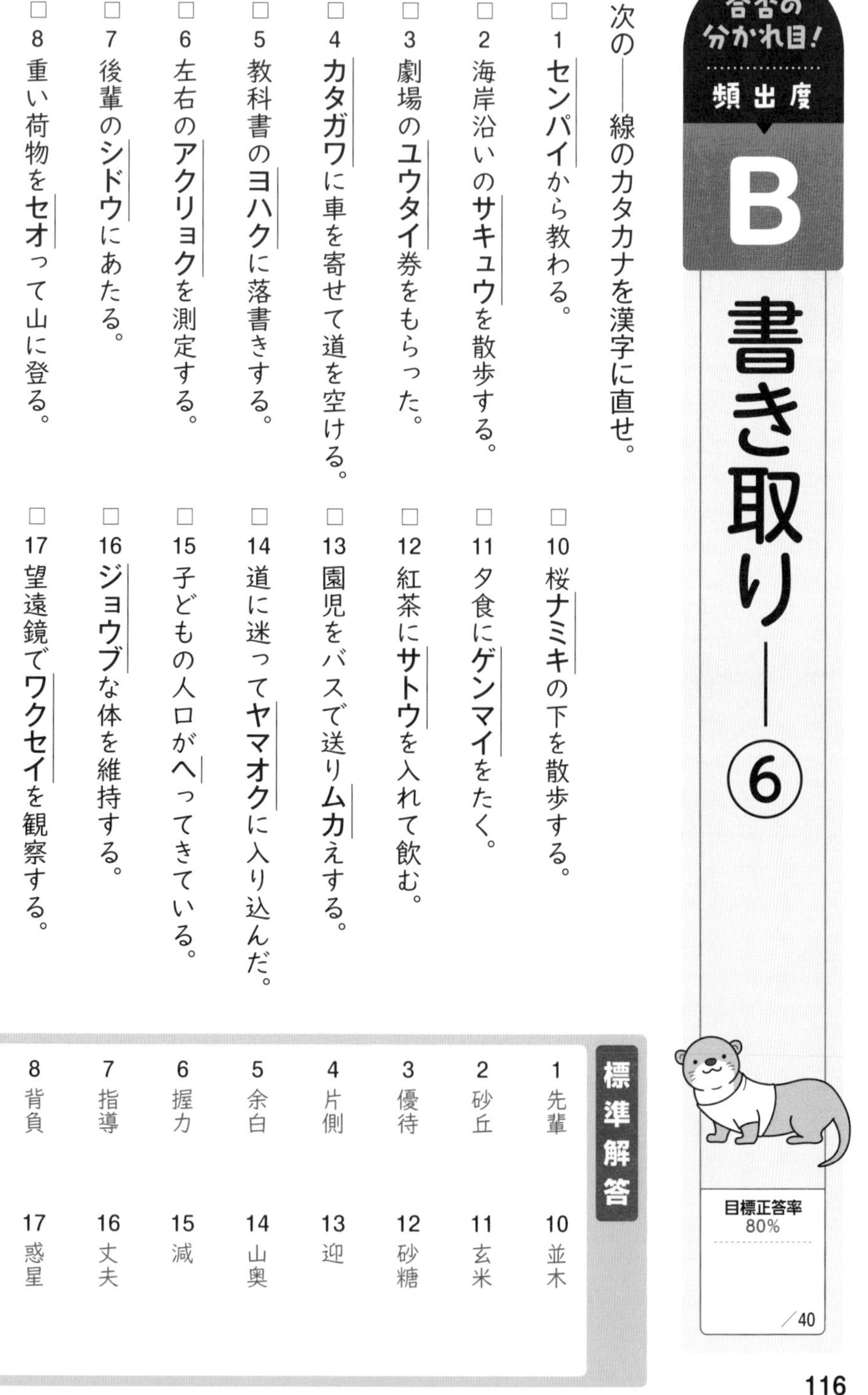

目標正答率 80%

／40

※次の――線のカタカナを漢字に直せ。

□ 1 センパイから教わる。
□ 2 海岸沿いのサキュウを散歩する。
□ 3 劇場のユウタイ券をもらった。
□ 4 カタガワに車を寄せて道を空ける。
□ 5 教科書のヨハクに落書きする。
□ 6 左右のアクリョクを測定する。
□ 7 後輩のシドウにあたる。
□ 8 重い荷物をセオって山に登る。
□ 9 スープがすっかりサめてしまった。
□ 10 桜ナミキの下を散歩する。
□ 11 夕食にゲンマイをたく。
□ 12 紅茶にサトウを入れて飲む。
□ 13 園児をバスで送りムカえする。
□ 14 道に迷ってヤマオクに入り込んだ。
□ 15 子どもの人口がへってきている。
□ 16 ジョウブな体を維持する。
□ 17 望遠鏡でワクセイを観察する。
□ 18 赤子をカタグルマしてなだめる。

標準解答

1 先輩
2 砂丘
3 優待
4 片側
5 余白
6 握力
7 指導
8 背負
9 冷
10 並木
11 玄米
12 砂糖
13 迎
14 山奥
15 減
16 丈夫
17 惑星
18 肩車

□ 19 **コウテツ**のような意志でやりとげる。
□ 20 激しい**キョウソウ**を勝ち抜く。
□ 21 人に**キガイ**を加える恐れがある。
□ 22 切手の**シュウシュウ**が趣味だ。
□ 23 **ダンカイ**を踏んで手続きを進める。
□ 24 申し出を**コトワ**った。
□ 25 両親ともに**ケンザイ**だ。
□ 26 **サイテキ**な方法を探る。
□ 27 申込書に**ハン**を押す。
□ 28 のんびりとした**ショウブン**です。
□ 29 決して**ナマヤサ**しいことではない。
□ 30 **テイデン**に備えてろうそくを買う。
□ 31 合成**ヒカク**のバッグを取り扱う。
□ 32 **ナンカイ**なパズルに取り組む。
□ 33 穴が開いた箇所を**ホシュウ**する。
□ 34 師の**オン**に報いようと日々はげむ。
□ 35 **サンミ**の強い飲み物を買う。
□ 36 **シタサキ**三寸で丸め込まれる。
□ 37 戦前の**イッセン**こう貨を集める。
□ 38 毎日、母の**カンビョウ**を続ける。
□ 39 事案の**ケイカ**について説明した。
□ 40 **スイリ**小説は苦手だ。

19 鋼鉄
20 競争
21 危害
22 収集
23 段階
24 断
25 健在
26 最適
27 判
28 性分
29 生易
30 停電
31 皮革
32 難解
33 補修
34 恩
35 酸味
36 舌先
37 一銭
38 看病
39 経過
40 推理

合否の分かれ目！
頻出度

B 四字熟語——①

※次の——線のカタカナを漢字に直し、四字熟語を完成させよ。

- □ 1 一致団ケツ〔意見や目標が一体化すること〕
- □ 2 驚天ドウ地〔世間をアッとおどろかせること〕
- □ 3 不カ抗力〔防ぐことができない事柄〕
- □ 4 晴耕ウ読〔田園でのんびりした生活をする〕
- □ 5 カセン奮闘〔思いきり努力すること〕
- □ 6 キ死回生〔危機的な状況から勢いを盛り返す〕
- □ 7 ゴン語道断〔ことばで表せないほどひどいこと〕
- □ 8 意気トウ合〔互いの気持ちがぴったり合うこと〕
- □ 9 ゲン行一致〔いうことと行いが合っていること〕
- □ 10 離合集サン〔はなれたり集まったりすること〕
- □ 11 コウ機到来〔チャンスが訪れること〕
- □ 12 利害トク失〔自分のもうけと損〕
- □ 13 ドウ床異夢〔仲間でも意見や目的が違うこと〕
- □ 14 針小ボウ大〔物事を実際より大げさに言うこと〕
- □ 15 事実無コン〔まったくでたらめなこと〕
- □ 16 因ガ応報〔行いの善悪によって報いが現れる〕
- □ 17 金ジョウ鉄壁〔防備が堅くてすきがないこと〕
- □ 18 イ心伝心〔互いの気持ちが通じ合うこと〕

目標正答率 80%

／40

標準解答

1 一致団結（いっちだんけつ）
2 驚天動地（きょうてんどうち）
3 不可抗力（ふかこうりょく）
4 晴耕雨読（せいこううどく）
5 力戦奮闘（りきせんふんとう）
6 起死回生（きしかいせい）
7 言語道断（ごんごどうだん）
8 意気投合（いきとうごう）
9 言行一致（げんこういっち）
10 離合集散（りごうしゅうさん）
11 好機到来（こうきとうらい）
12 利害得失（りがいとくしつ）
13 同床異夢（どうしょういむ）
14 針小棒大（しんしょうぼうだい）
15 事実無根（じじつむこん）
16 因果応報（いんがおうほう）
17 金城鉄壁（きんじょうてっぺき）
18 以心伝心（いしんでんしん）

- □ 19 自力更**セイ**　〔他人に頼らず自分の力で立ち直る〕
- □ 20 一件**ラク**着　〔物事が解決すること〕
- □ 21 適者生**ゾン**　〔環境に適した者が栄え、他は滅びる〕
- □ 22 **メイ**朗快活　〔明るくはればれとして元気な様子〕
- □ 23 外**コウ**辞令　〔口先だけのお世辞と形だけのあいそ〕
- □ 24 前**ト**多難　〔これから先、困難や災難が多いこと〕
- □ 25 二人三**キャク**　〔二人が力を合わせて物事に取り組むこと〕
- □ 26 **ロウ**成円熟　〔経験豊富で人格がおだやかな様子〕
- □ 27 当意即**ミョウ**　〔場に合わせて機転を利かせること〕
- □ 28 **ゴク**悪非道　〔非常にわるく、人の道に外れていること〕
- □ 29 一触即**ハツ**　〔危機に直面していること〕
- □ 30 **ジ**盤沈下　〔保持していた勢力がおとろえる〕
- □ 31 一**バツ**百戒　〔一つの罪をこらしめて他への戒めとすること〕
- □ 32 自己**ム**盾　〔自分の中で論理や行動が食い違うこと〕
- □ 33 **モン**外不出　〔貴重なものは持ちださないこと〕
- □ 34 **ハク**学多才　〔知識が豊富で才能豊かなこと〕
- □ 35 七**テン**八起　〔失敗にくじけずに努力を重ねること〕
- □ 36 山紫水**メイ**　〔自然の光景が美しく清らかなこと〕
- □ 37 一望千**リ**　〔広々して見晴らしのよいこと〕
- □ 38 是非**キョク**直　〔物事の正不正・善悪のこと〕
- □ 39 **アイ**別離苦　〔別れることのつらさや悲しみ〕
- □ 40 **ゼン**人未到　〔いままでだれも達していないこと〕

19	自力更生（じりきこうせい）	30	地盤沈下（じばんちんか）
20	一件落着（いっけんらくちゃく）	31	一罰百戒（いちばつひゃっかい）
21	適者生存（てきしゃせいぞん）	32	自己矛盾（じこむじゅん）
22	明朗快活（めいろうかいかつ）	33	門外不出（もんがいふしゅつ）
23	外交辞令（がいこうじれい）	34	博学多才（はくがくたさい）
24	前途多難（ぜんとたなん）	35	七転八起（しちてんはっき）
25	二人三脚（ににんさんきゃく）	36	山紫水明（さんしすいめい）
26	老成円熟（ろうせいえんじゅく）	37	一望千里（いちぼうせんり）
27	当意即妙（とういそくみょう）	38	是非曲直（ぜひきょくちょく）
28	極悪非道（ごくあくひどう）	39	愛別離苦（あいべつりく）
29	一触即発（いっしょくそくはつ）	40	前人未到（ぜんじんみとう）

合否の分かれ目！
頻出度
B

四字熟語――②

目標正答率 80%
／40

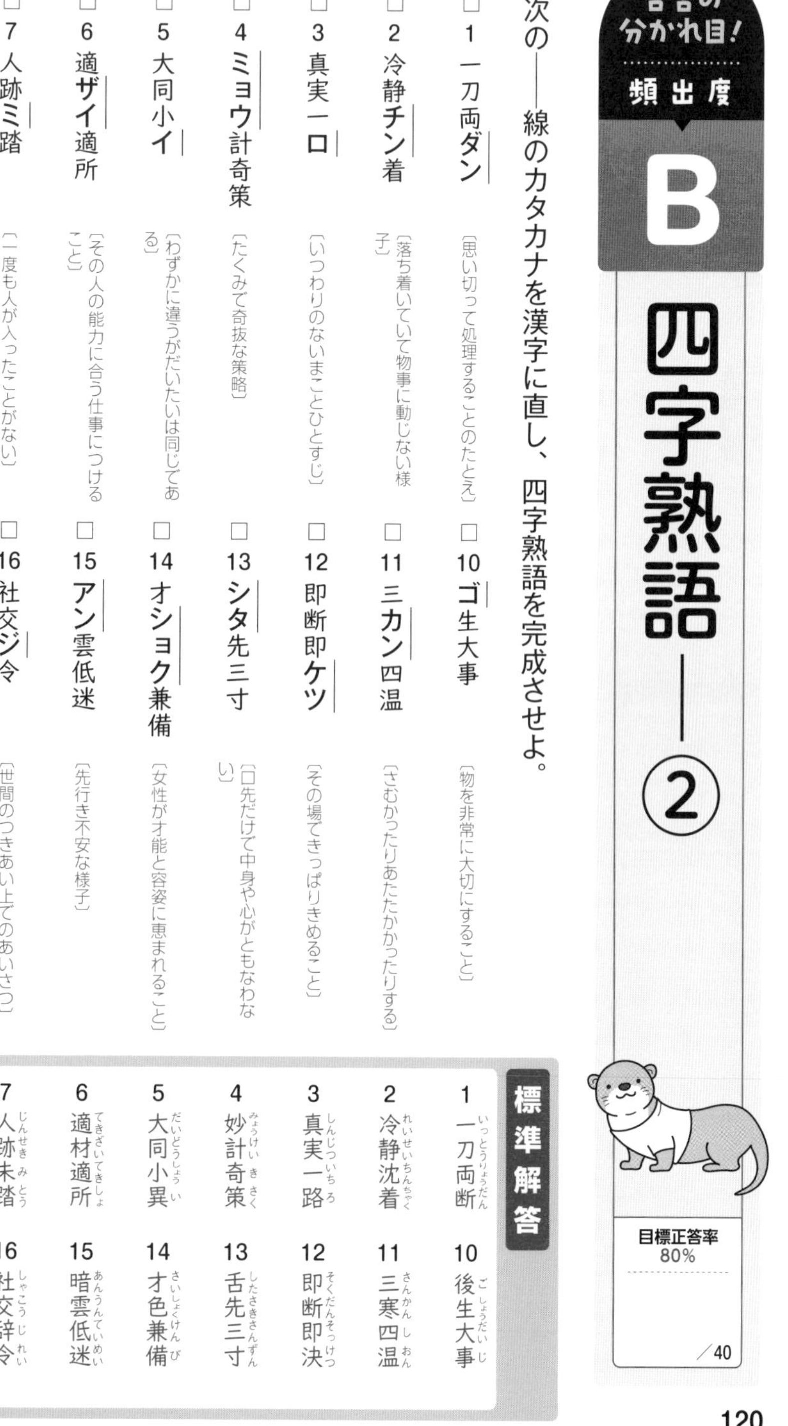

※次の――線のカタカナを漢字に直し、四字熟語を完成させよ。

- □ 1 一刀両ダン〔思い切って処理することのたとえ〕
- □ 2 冷静チン着〔落ち着いていて物事に動じない様子〕
- □ 3 真実一ロ〔いつわりのないまことひとすじ〕
- □ 4 ミョウ計奇策〔たくみで奇抜な策略〕
- □ 5 大同小イ〔わずかに違うがだいたいは同じである〕
- □ 6 適ザイ適所〔その人の能力に合う仕事につけること〕
- □ 7 人跡ミ踏〔一度も人が入ったことがない〕
- □ 8 談論フウ発〔盛んに話し合い議論を行う〕
- □ 9 花鳥フウ月〔自然の美しさのたとえ〕
- □ 10 ゴ生大事〔物を非常に大切にすること〕
- □ 11 三カン四温〔さむかったりあたたかかったりする〕
- □ 12 即断即ケツ〔その場できっぱりきめること〕
- □ 13 シタ先三寸〔口先だけで中身や心がともなわない〕
- □ 14 オショク兼備〔女性が才能と容姿に恵まれること〕
- □ 15 アン雲低迷〔先行き不安な様子〕
- □ 16 社交ジ令〔世間のつきあい上でのあいさつ〕
- □ 17 理路セイ然〔話や考えの筋道がよく通っている〕
- □ 18 臨キ応変〔なりゆきに応じて適切な処置をする〕

標準解答

1 一刀両断（いっとうりょうだん）
2 冷静沈着（れいせいちんちゃく）
3 真実一路（しんじついちろ）
4 妙計奇策（みょうけいきさく）
5 大同小異（だいどうしょうい）
6 適材適所（てきざいてきしょ）
7 人跡未踏（じんせきみとう）
8 談論風発（だんろんふうはつ）
9 花鳥風月（かちょうふうげつ）
10 後生大事（ごしょうだいじ）
11 三寒四温（さんかんしおん）
12 即断即決（そくだんそっけつ）
13 舌先三寸（したさきさんずん）
14 才色兼備（さいしょくけんび）
15 暗雲低迷（あんうんていめい）
16 社交辞令（しゃこうじれい）
17 理路整然（りろせいぜん）
18 臨機応変（りんきおうへん）

□ 19 危急存ボウ〔生き残りをかけたせとぎわ〕

□ 20 天変地イ〔自然界におけるいへん〕

□ 21 一日セン秋〔非常に待ち遠しいことのたとえ〕

□ 22 無理ナン題〔とうていできそうにない要求〕

□ 23 ジュク慮断行〔十分考え思いきって実行すること〕

□ 24 無理算ダン〔苦しい状況でお金などをやりくりする〕

□ 25 メイ鏡止水〔曇りがなくすみきった心境〕

□ 26 ホン末転倒〔重要なこととそうでないことを逆にする〕

□ 27 空前ゼツ後〔非常にまれなこと〕

□ 28 用意シュウ到〔準備が行きとどいているさま〕

□ 29 闘志マン満〔戦意にみちている様子〕

□ 30 小シン翼翼〔気が小さくびくびくしているようす〕

□ 31 準備バン端〔用意や準備のすべて〕

□ 32 需要供キュウ〔財・サービスについての要求と提供〕

□ 33 シン機一転〔何かをきっかけに気持ちが変わる〕

□ 34 面従腹ハイ〔表面はへつらって内心では反抗する〕

□ 35 百鬼ヤ行〔多くの悪人がのさばること〕

□ 36 一部始ジュウ〔物事の始めからおわりまでのすべて〕

□ 37 昼ヤ兼行〔一日中休まず物事を続けること〕

□ 38 キュウ態依然〔昔のままで進歩がないこと〕

□ 39 急転直カ〔事態が急変して解決に向かうこと〕

□ 40 二束三モン〔物の価値が低く価格が安いこと〕

19 危急存亡（ききゅうそんぼう）
20 天変地異（てんぺんちい）
21 一日千秋（いちじつせんしゅう）
22 無理難題（むりなんだい）
23 熟慮断行（じゅくりょだんこう）
24 無理算段（むりさんだん）
25 明鏡止水（めいきょうしすい）
26 本末転倒（ほんまつてんとう）
27 空前絶後（くうぜんぜつご）
28 用意周到（よういしゅうとう）
29 闘志満満（々）（とうしまんまん）
30 小心翼翼（々）（しょうしんよくよく）
31 準備万端（じゅんびばんたん）
32 需要供給（じゅようきょうきゅう）
33 心機一転（しんきいってん）
34 面従腹背（めんじゅうふくはい）
35 百鬼夜行（ひゃっきやこう（ぎょう））
36 一部始終（いちぶしじゅう）
37 昼夜兼行（ちゅうやけんこう）
38 旧態依然（きゅうたいいぜん）
39 急転直下（きゅうてんちょっか）
40 二束三文（にそくさんもん）

合否の分かれ目！ 頻出度 B

送りがな

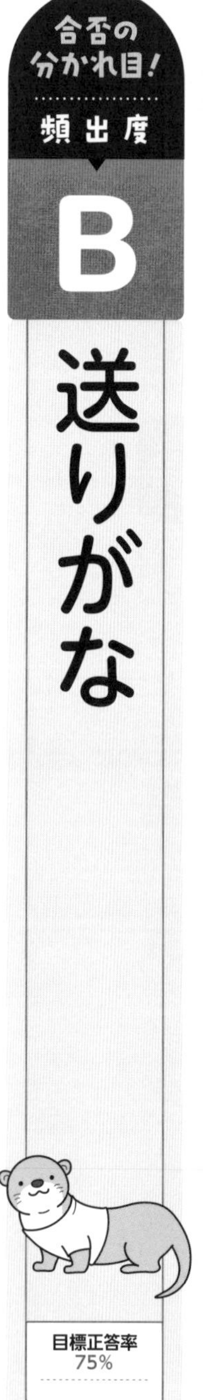

目標正答率 75%

／40

※次の――線のカタカナを漢字と送りがな（ひらがな）に直せ。

- □ 1 バッタが草むらの陰に**カクレル**。
- □ 2 仕組みを**クワシク**説明する。
- □ 3 根っこが弱って大木が**カタムク**。
- □ 4 人ごみで財布を**ヌスマ**れた。
- □ 5 子どもにおやつを**アタエル**。
- □ 6 赤ん坊をベッドに**ネカス**。
- □ 7 対戦相手を積極的に**セメル**。
- □ 8 スピード違反で**ツカマッ**た。
- □ 9 恐ろしさのあまり腰を**ヌカシ**た。
- □ 10 お気に入りの服に水が**ハネル**。
- □ 11 生ごみを**ステル**日を変更する。
- □ 12 今までの生活を**アラタメル**。
- □ 13 **ケワシイ**まなざしを向ける。
- □ 14 経営の第一線から**シリゾク**。
- □ 15 相手の心理を**サグル**。
- □ 16 **ツメタイ**沢の水に足を浸す。
- □ 17 **ヒサシ**ぶりに手紙を書いた。
- □ 18 順番待ちの列に**ナラブ**。

標準解答

1	隠れる	10	跳ねる
2	詳しく	11	捨てる
3	傾く	12	改める
4	盗ま	13	険しい
5	与える	14	退く
6	寝かす	15	探る
7	攻める	16	冷たい
8	捕まっ	17	久し
9	抜かし	18	並ぶ

- □ 19 友人の愛犬を**アズカル**。
- □ 20 友だちと仲良く**マジワル**。
- □ 21 服装などに**カマッ**ていられない。
- □ 22 祖父は不動の地位を**キズイ**た。
- □ 23 ごみを**ヘラシ**て環境を守る。
- □ 24 寒さで動きが**ニブク**なっている。
- □ 25 町で**アバレル**若者を取り押さえる。
- □ 26 自分の意見を**マゲル**ことはできない。
- □ 27 感極まって言葉に**ツマル**。
- □ 28 今日の宿題は**ヤサシイ**問題だ。
- □ 29 神事で今年の天候を**ウラナウ**。
- □ 30 旧友に会って話が**ハズン**だ。
- □ 31 心を**トザシ**て語らない。
- □ 32 **フタタビ**会える日まで元気でいよう。
- □ 33 **アラタ**に完成した道を歩く。
- □ 34 犬は暑さで舌を**タラス**。
- □ 35 植木が**イキオイ**よく新芽をのばした。
- □ 36 自分の方が相手より**マサッ**ている。
- □ 37 小学校入学を**イワウ**。
- □ 38 ほてった体に、風が**ココロヨイ**。
- □ 39 **タイラナ**皿に主菜を盛りつける。
- □ 40 **ミズカラ**先頭に立って指揮する。

19 預かる
20 交わる
21 構っ
22 築い
23 減らし
24 鈍く
25 暴れる
26 曲げる
27 詰まる
28 易しい
29 占う
30 弾ん
31 閉ざし
32 再び
33 新た
34 垂らす
35 勢い
36 勝っ
37 祝う
38 快い
39 平らな
40 自ら

合否の分かれ目！

頻出度 B

誤字訂正

目標正答率 70%

／40

※次の文中にまちがって使われている漢字が一字ある。同じ音訓の正しい漢字を記せ。

- □ 1 古民家を修理する職人の獲保が重要だ。
- □ 2 空気が乾燥した冬には火最が多発する。
- □ 3 新法案に対する党内の意見到一が先だ。
- □ 4 草木に被害をもたらす害虫を駆助する。
- □ 5 大家の下で像形美術を学んだ。
- □ 6 少子化の状況と原引について議論する。
- □ 7 仏閣が長年風雨に浸食されて破尊する。
- □ 8 全国大会常連の競豪校をついに破った。
- □ 9 明治時代の町並みを模型で再元する。
- □ 10 根難に打ち勝って偉業を成しとげる。
- □ 11 孫娘に甘味料無添化のお菓子を与える。
- □ 12 母校の図書館改修に多額の記付をした。
- □ 13 不正経理の証拠が議会に放告された。
- □ 14 秘境から帰国した冒険家が紀行文を表した。
- □ 15 彼女には一流の体操選手の師質がある。
- □ 16 故障の点検で途中の港に長期間抵泊する。
- □ 17 母の特制の温かい卵酒は発熱によくきく。
- □ 18 書類を間違って未所理の箱に入れた。

標準解答

1 獲→確　2 最→災　3 到→統　4 助→除　5 像→造　6 引→因　7 尊→損　8 競→強　9 元→現

10 根→困　11 化→加　12 記→寄　13 放→報　14 表→著　15 師→資　16 抵→停　17 制→製　18 所→処

□ 19 新鮮な食料品を全国の商費者に届ける。
□ 20 物事を客看的にみる訓練が重要だ。
□ 21 明日の町内の会合に応接間を提競した。
□ 22 人里離れた辺境の地で自然を体検する。
□ 23 少子高齢化で介護の授要が急増する。
□ 24 凶悪事件を教訓に地域の防反意識を高める。
□ 25 書類選公を通過して最終面接に臨む。
□ 26 会社経営陣の一新が功を層したようだ。
□ 27 彼の登場を民集は盛大な拍手で迎えた。
□ 28 音楽や絵画など芸術を愛幸する一家だ。
□ 29 市場は野菜の出加準備で忙しい。

□ 30 業務に支傷を来さぬよう留意する。
□ 31 拡声器が故障して番組に雑音が交じる。
□ 32 訪門先で倒れて救急車が呼ばれた。
□ 33 売り切れた商品を製造元に注問した。
□ 34 幾多の障外を乗り越えて成功を収めた。
□ 35 生活に密接な課題を優専して検討する。
□ 36 快護と仕事の両立は切実な社会問題だ。
□ 37 列島の広い繁囲で暴風雪が猛威を振るう。
□ 38 週辺の道路に非常線を配備した。
□ 39 俗発している凶悪犯罪の対策を練る。
□ 40 児童館の理用状況を報告書にまとめる。

19	商→消	30	傷→障
20	看→観	31	交→混
21	競→供	32	門→問
22	検→験	33	問→文
23	授→需	34	外→害
24	反→犯	35	専→先
25	公→考	36	快→介
26	層→奏	37	繁→範
27	集→衆	38	週→周
28	幸→好	39	俗→続
29	加→荷	40	理→利

対義語・類義語—①

目標正答率 85%

／40

※ □の中の語を必ず一度使って漢字に直し、対義語・類義語を記せ。

対義語

- □ 1 短縮—□長
- □ 2 乱暴—温□
- □ 3 寒冷—温□
- □ 4 相違—一□
- □ 5 薄弱—□固
- □ 6 歓喜—□嘆
- □ 7 単純—複□
- □ 8 継続—中□

わ　ひ　ち　だん　し　ざつ　きょう　えん

類義語

- □ 9 支援—□力
- □ 10 身長—□丈
- □ 11 冒頭—□初
- □ 12 簡単—容□
- □ 13 値段—価□
- □ 14 重荷—負□
- □ 15 推量—憶□
- □ 16 出席—□列

たん　そく　せ　じょ　さん　さい　かく　い

標準解答

1 短縮（たんしゅく）↔延長（えんちょう）
2 乱暴（らんぼう）↔温和（おんわ）
3 寒冷（かんれい）↔温暖（おんだん）
4 相違（そうい）↔一致（いっち）
5 薄弱（はくじゃく）↔強固（きょうこ）
6 歓喜（かんき）↔悲嘆（ひたん）
7 単純（たんじゅん）↔複雑（ふくざつ）
8 継続（けいぞく）↔中止（ちゅうし）
9 支援（しえん）＝助力（じょりょく）
10 身長（しんちょう）＝背丈（せたけ）
11 冒頭（ぼうとう）＝最初（さいしょ）
12 簡単（かんたん）＝容易（ようい）
13 値段（ねだん）＝価格（かかく）
14 重荷（おもに）＝負担（ふたん）
15 推量（すいりょう）＝憶測（おくそく）
16 出席（しゅっせき）＝参列（さんれつ）

対義語

- □ 17 攻撃—□御
- □ 18 幼年—□齢
- □ 19 就寝—□床
- □ 20 油断—□戒
- □ 21 人工—天□
- □ 22 困難—容□
- □ 23 熱烈—冷□
- □ 24 服従—□抗
- □ 25 損失—利□
- □ 26 悪化—□転
- □ 27 晩成—早□
- □ 28 供給—需□

い　えき　き　けい　こう　じゅく　せい　ねん　はん　ぼう　よう　ろう

類義語

- □ 29 形見—□品
- □ 30 看病—介□
- □ 31 将来—□途
- □ 32 筋道—□絡
- □ 33 早急—即□
- □ 34 散歩—散□
- □ 35 処罰—制□
- □ 36 帰郷—帰□
- □ 37 簡単—□易
- □ 38 基盤—根□
- □ 39 離合—集□
- □ 40 判然—□白

い　ご　こく　さい　さく　さん　せい　ぜん　てい　へい　みゃく　めい

読み　書き取り　四字熟語　送りがな　誤字訂正　対義語・類義語①　同音・同訓異字　部首　熟語の構成　漢字識別

---

17 攻撃（こうげき）↔防御（ぼうぎょ）
18 幼年（ようねん）↔老齢（ろうれい）
19 就寝（しゅうしん）↔起床（きしょう）
20 油断（ゆだん）↔警戒（けいかい）
21 人工（じんこう）↔天然（てんねん）
22 困難（こんなん）↔容易（ようい）
23 熱烈（ねつれつ）↔冷静（れいせい）
24 服従（ふくじゅう）↔反抗（はんこう）
25 損失（そんしつ）↔利益（りえき）
26 悪化（あっか）↔好転（こうてん）
27 晩成（ばんせい）↔早熟（そうじゅく）
28 供給（きょうきゅう）↔需要（じゅよう）

29 形見（かたみ）＝遺品（いひん）
30 看病（かんびょう）＝介護（かいご）
31 将来（しょうらい）＝前途（ぜんと）
32 筋道（すじみち）＝脈絡（みゃくらく）
33 早急（さっきゅう）＝即刻（そっこく）
34 散歩（さんぽ）＝散策（さんさく）
35 処罰（しょばつ）＝制裁（せいさい）
36 帰郷（ききょう）＝帰省（きせい）
37 簡単（かんたん）＝平易（へいい）
38 基盤（きばん）＝根底（こんてい）
39 離合（りごう）＝集散（しゅうさん）
40 判然（はんぜん）＝明白（めいはく）

対義語・類義語―②

※ □の中の語を必ず一度使って漢字に直し、対義語・類義語を記せ。

対義語

□ 1 歳末―年□
□ 2 故意―□失
□ 3 閉鎖―開□
□ 4 猛暑―□寒
□ 5 陽性―□性
□ 6 豊作―□作
□ 7 老齢―□年
□ 8 延長―□縮

いん　か　きょう　げん　たん　とう　ほう　よう

類義語

□ 9 健闘―□戦
□ 10 丈夫―健□
□ 11 根拠―理□
□ 12 名誉―光□
□ 13 是非―可□
□ 14 沈着―冷□
□ 15 困惑―□口
□ 16 抜群―屈□

えい　こう　し　せい　ぜん　ひ　へい　ゆう

標準解答

1 歳末(さいまつ)↔年頭(ねんとう)
2 故意(こい)↔過失(かしつ)
3 閉鎖(へいさ)↔開放(かいほう)
4 猛暑(もうしょ)↔厳寒(げんかん)
5 陽性(ようせい)↔陰性(いんせい)
6 豊作(ほうさく)↔凶作(きょうさく)
7 老齢(ろうれい)↔幼年(ようねん)
8 延長(えんちょう)↔短縮(たんしゅく)
9 健闘(けんとう)＝善戦(ぜんせん)
10 丈夫(じょうぶ)＝健康(けんこう)
11 根拠(こんきょ)＝理由(りゆう)
12 名誉(めいよ)＝光栄(こうえい)
13 是非(ぜひ)＝可否(かひ)
14 沈着(ちんちゃく)＝冷静(れいせい)
15 困惑(こんわく)＝閉口(へいこう)
16 抜群(ばつぐん)＝屈指(くっし)

対義語

□ 17 利益―□失
□ 18 優良―劣□
□ 19 盛夏―□冬
□ 20 永眠―□生
□ 21 新鋭―□豪
□ 22 温和―乱□
□ 23 与党―□党
□ 24 末尾―冒□
□ 25 結合―□離
□ 26 遅鈍―敏□
□ 27 近隣―□方
□ 28 継続―中□

あく　えん　げん　こ　そく　そん　たん　だん　とう　ぶん　ぼう　や

類義語

□ 29 周辺―□隣
□ 30 技量―□腕
□ 31 応援―加□
□ 32 盛況―繁□
□ 33 友好―□善
□ 34 露見―発□
□ 35 途絶―中□
□ 36 激賞―絶□
□ 37 案内―先□
□ 38 細心―□到
□ 39 同感―□感
□ 40 蓄財―□蓄

えい　かく　きょう　きん　さん　しゅ　しゅう　しん　せい　だん　ちょ　どう

17 利益(りえき)↔損失(そんしつ)
18 優良(ゆうりょう)↔劣悪(れつあく)
19 盛夏(せいか)↔厳冬(げんとう)
20 永眠(えいみん)↔誕生(たんじょう)
21 新鋭(しんえい)↔古豪(ここう)
22 温和(おんわ)↔乱暴(らんぼう)
23 与党(よとう)↔野党(やとう)
24 末尾(まつび)↔冒頭(ぼうとう)
25 結合(けつごう)↔分離(ぶんり)
26 遅鈍(ちどん)↔敏速(びんそく)
27 近隣(きんりん)↔遠方(えんぽう)
28 継続(けいぞく)↔中断(ちゅうだん)

29 周辺(しゅうへん)＝近隣(きんりん)
30 技量(ぎりょう)＝手腕(しゅわん)
31 応援(おうえん)＝加勢(かせい)
32 盛況(せいきょう)＝繁栄(はんえい)
33 友好(ゆうこう)＝親善(しんぜん)
34 露見(ろけん)＝発覚(はっかく)
35 途絶(とぜつ)＝中断(ちゅうだん)
36 激賞(げきしょう)＝絶賛(ぜっさん)
37 案内(あんない)＝先導(せんどう)
38 細心(さいしん)＝周到(しゅうとう)
39 同感(どうかん)＝共感(きょうかん)
40 蓄財(ちくざい)＝貯蓄(ちょちく)

同音・同訓異字──①

※次の――線のカタカナにあてはまる漢字をそれぞれア〜オから選び、記号で記せ。

□1 少々の失敗は許**ヨウ**されている。
□2 小窓から春の**ヨウ**光が差し込む。
□3 事故で負傷し自宅で療**ヨウ**する。
（ア溶　イ踊　ウ養　エ陽　オ容）

□4 世界大会を自国に**ショウ**致する。
□5 ハトは平和の**ショウ**徴とされる。
□6 真実であるという確**ショウ**を得た。
（ア招　イ象　ウ称　エ詳　オ証）

□7 **イ**勢のいい祭ばやしが聞こえる。
□8 社会主義から市場経済へ**イ**行する。
□9 故人の**イ**志を尊重します。
（ア依　イ移　ウ威　エ遺　オ為）

□10 子どもの好**キ**心をくすぐる。
□11 幸運にも留学できる**キ**会を得る。
□12 **キ**重な動植物を保護する。
（ア機　イ祈　ウ貴　エ幾　オ奇）

□13 音楽祭で**カン**楽器を担当する。
□14 姉は店の**カン**板娘だった。
□15 このハーブは発**カン**作用がある。
（ア汗　イ監　ウ管　エ看　オ環）

□16 熱帯は**カン**季と雨季を繰り返す。
□17 国会討論に強い**カン**心を持つ。
□18 問題点を**カン**潔に整理する。
（ア感　イ関　ウ歓　エ簡　オ乾）

標準解答

1 オ　2 エ　3 ウ
4 ア　5 イ　6 オ
7 ウ　8 イ　9 エ
10 オ　11 ア　12 ウ
13 ウ　14 エ　15 ア
16 オ　17 イ　18 エ

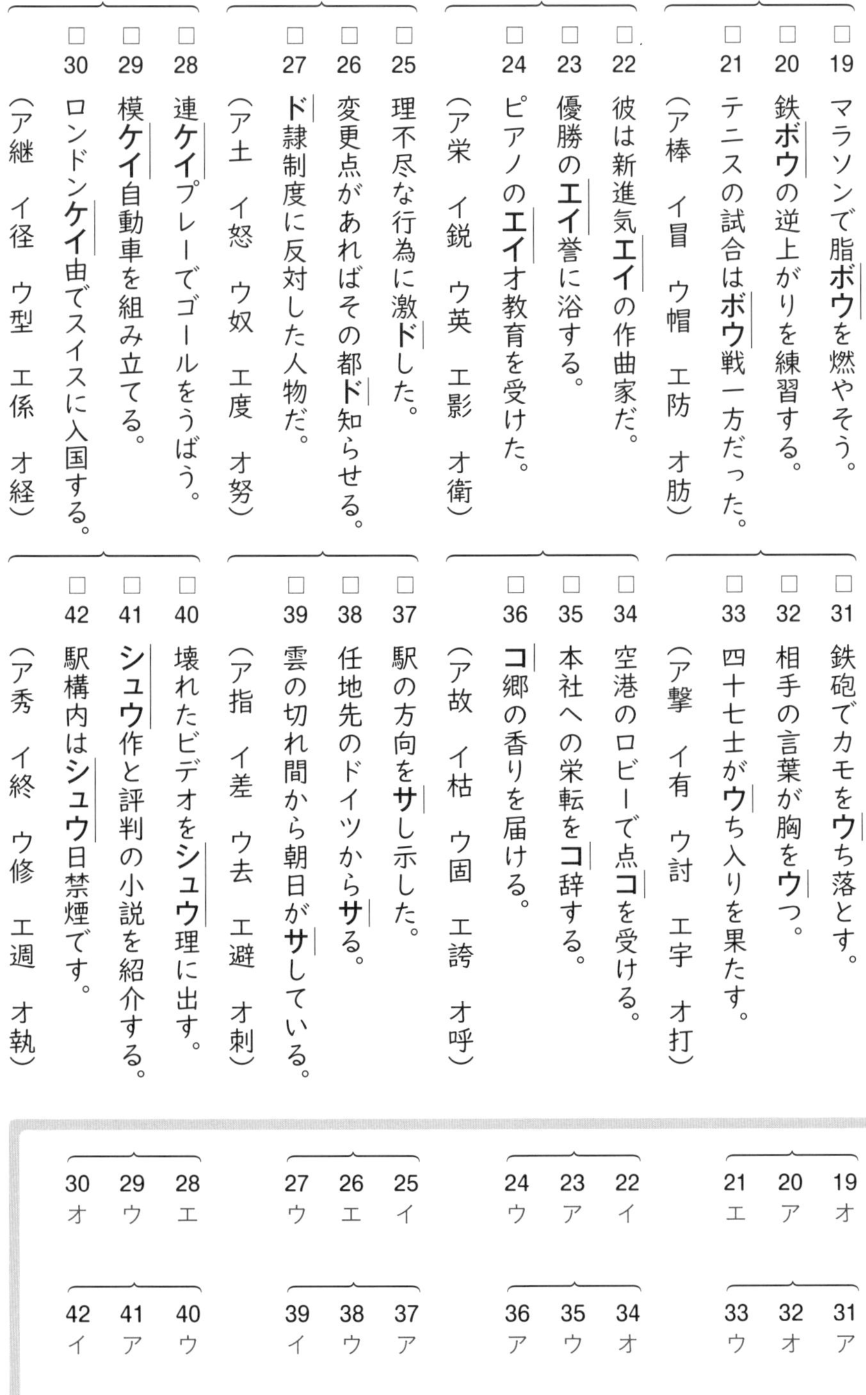

□ 19 マラソンで脂**ボウ**を燃やそう。
□ 20 鉄**ボウ**の逆上がりを練習する。
□ 21 テニスの試合は**ボウ**戦一方だった。
(ア棒　イ冒　ウ帽　エ防　オ肪)

□ 22 彼は新進気**エイ**の作曲家だ。
□ 23 優勝の**エイ**誉に浴する。
□ 24 ピアノの**エイ**才教育を受けた。
(ア栄　イ鋭　ウ英　エ影　オ衛)

□ 25 理不尽な行為に激**ド**した。
□ 26 変更点があればその都**ド**知らせる。
□ 27 **ド**隷制度に反対した人物だ。
(ア土　イ怒　ウ奴　エ度　オ努)

□ 28 連**ケイ**プレーでゴールをうばう。
□ 29 模**ケイ**自動車を組み立てる。
□ 30 ロンドン**ケイ**由でスイスに入国する。
(ア継　イ径　ウ型　エ係　オ経)

□ 31 鉄砲でカモを**ウ**ち落とす。
□ 32 相手の言葉が胸を**ウ**つ。
□ 33 四十七士が**ウ**ち入りを果たす。
(ア撃　イ有　ウ討　エ宇　オ打)

□ 34 空港のロビーで点**コ**を受ける。
□ 35 本社への栄転を**コ**辞する。
□ 36 **コ**郷の香りを届ける。
(ア故　イ枯　ウ固　エ誇　オ呼)

□ 37 駅の方向を**サ**し示した。
□ 38 任地先のドイツから**サ**る。
□ 39 雲の切れ間から朝日が**サ**している。
(ア指　イ差　ウ去　エ避　オ刺)

□ 40 壊れたビデオを**シュウ**理に出す。
□ 41 **シュウ**作と評判の小説を紹介する。
□ 42 駅構内は**シュウ**日禁煙です。
(ア秀　イ終　ウ修　エ週　オ執)

19	20	21	22	23	24	25	26	27	28	29	30
オ	ア	エ	イ	ア	ウ	イ	エ	ウ	エ	ウ	オ

31	32	33	34	35	36	37	38	39	40	41	42
ア	オ	ウ	オ	ウ	ア	ア	ウ	イ	ウ	ア	イ

同音・同訓異字──②

※次の──線のカタカナにあてはまる漢字をそれぞれア～オから選び、記号で記せ。

□1 シ肪の少ない食事を心がける。
□2 庭に砂利がシき詰められている。
□3 古戦場がシ跡に指定されている。
（ア知　イ脂　ウ史　エ敷　オ死）

□4 二百年前にソウ建された古寺だ。
□5 場面にふさわしい間ソウ曲を作る。
□6 切り立ったがけに地ソウが見える。
（ア騒　イ燥　ウ層　エ創　オ奏）

□7 面接で簡タンな質問に答えた。
□8 夫と妻で家事を分タンする。
□9 喜ばしいことに初孫がタン生した。
（ア誕　イ単　ウ端　エ丹　オ担）

□10 終盤で逆転されてカタを落とした。
□11 我が子からカタ時も目が離せない。
□12 母のカタ見の時計を愛用する。
（ア型　イ片　ウ形　エ肩　オ堅）

□13 セン伝広告に躍らされる。
□14 仕事を辞めて研究にセン念する。
□15 セン員が海に投げ出された。
（ア船　イ宣　ウ占　エ専　オ扇）

□16 薬を投ヨして痛みをおさえる。
□17 正月のお飾り作りにヨ念がない。
□18 長年の業績によって名ヨを得た。
（ア予　イ与　ウ余　エ預　オ誉）

標準解答

1	2	3	4	5	6	7	8	9
イ	エ	ウ	エ	オ	ウ	イ	オ	ア

10	11	12	13	14	15	16	17	18
エ	イ	ウ	イ	エ	ア	イ	ウ	オ

□ 19 **シュ**に交われば赤くなる。
□ 20 家の間取りに**シュ**向をこらす。
□ 21 一点差を死**シュ**して勝利を収めた。
(ア趣　イ守　ウ狩　エ首　オ朱)

□ 22 何年もかかって**ギ**曲を書き上げた。
□ 23 七五三を我が家の流**ギ**で祝う。
□ 24 容**ギ**者の取り調べが行われる。
(ア義　イ疑　ウ儀　エ戯　オ技)

□ 25 **トウ**突な行動に驚いた。
□ 26 新たな石**トウ**を建てる。
□ 27 **トウ**源郷を探す旅に出る。
(ア唐　イ糖　ウ桃　エ塔　オ透)

□ 28 トキの**ハン**殖が期待される。
□ 29 地元の野菜を**ハン**売する。
□ 30 警察犬が**ハン**人の足跡を追った。
(ア犯　イ範　ウ繁　エ搬　オ販)

□ 31 国会議事堂を**セン**拠した。
□ 32 茶席に**セン**子をけい帯する。
□ 33 庭の**セン**水にスイレンが浮かぶ。
(ア宣　イ占　ウ鮮　エ扇　オ泉)

□ 34 **ホ**装工事を続行する。
□ 35 **ホ**足説明を加えて話す。
□ 36 金庫に売り上げ金を**ホ**管する。
(ア舗　イ歩　ウ捕　エ補　オ保)

□ 37 具体例を**ア**げて理論を解説した。
□ 38 新人俳優が一躍注目を**ア**びる。
□ 39 娘のために母親がセーターを**ア**む。
(ア挙　イ浴　ウ開　エ編　オ荒)

□ 40 農作物が**カン**害を受けた。
□ 41 犯罪者の精神**カン**定をする。
□ 42 **カン**受性の鋭い人だ。
(ア甘　イ干　ウ鑑　エ乾　オ感)

19 オ　20 ア　21 イ
22 エ　23 ウ　24 イ
25 ア　26 エ　27 ウ
28 ウ　29 オ　30 ア
31 イ　32 エ　33 オ
34 ア　35 エ　36 オ
37 ア　38 イ　39 エ
40 イ　41 ウ　42 オ

同音・同訓異字—③

※次の――線のカタカナにあてはまる漢字をそれぞれア～オから選び、記号で記せ。

□ 1 自家用飛行機を**ソウ**縦する。
□ 2 空気が乾**ソウ**してかぜが流行する。
□ 3 生徒が**ソウ**動を巻き起こした。
（ア操　イ争　ウ騒　エ層　オ燥）

□ 4 いくつもの課題を**ホウ**含している。
□ 5 あの男は果**ホウ**者だと言われる。
□ 6 船は大**ホウ**を装備している。
（ア砲　イ報　ウ法　エ包　オ方）

□ 7 計画案は**キ**上の空論に終わった。
□ 8 **キ**気迫る演技に息をのんだ。
□ 9 外出が減り人間関係が**キ**薄になる。
（ア祈　イ鬼　ウ希　エ机　オ輝）

□ 10 プールの**カン**視を強化する。
□ 11 彼には時間の**カン**念がない。
□ 12 今世紀の**カン**境破壊は深刻である。
（ア観　イ環　ウ歓　エ監　オ勧）

□ 13 **シン**室に青いカーテンがかけてある。
□ 14 今後の教育方**シン**について検討する。
□ 15 郷土が時ならぬ激**シン**に見舞われた。
（ア深　イ針　ウ寝　エ慎　オ震）

□ 16 田園の風景が**カ**かれた絵画だ。
□ 17 推測まじりの記事で信頼に**カ**ける。
□ 18 山中でシカやイノシシを**カ**る。
（ア欠　イ狩　ウ刈　エ駆　オ描）

標準解答

1 ア　2 オ　3 ウ
4 エ　5 イ　6 ア
7 エ　8 イ　9 ウ
10 エ　11 ア　12 イ
13 ウ　14 イ　15 オ
16 オ　17 ア　18 イ

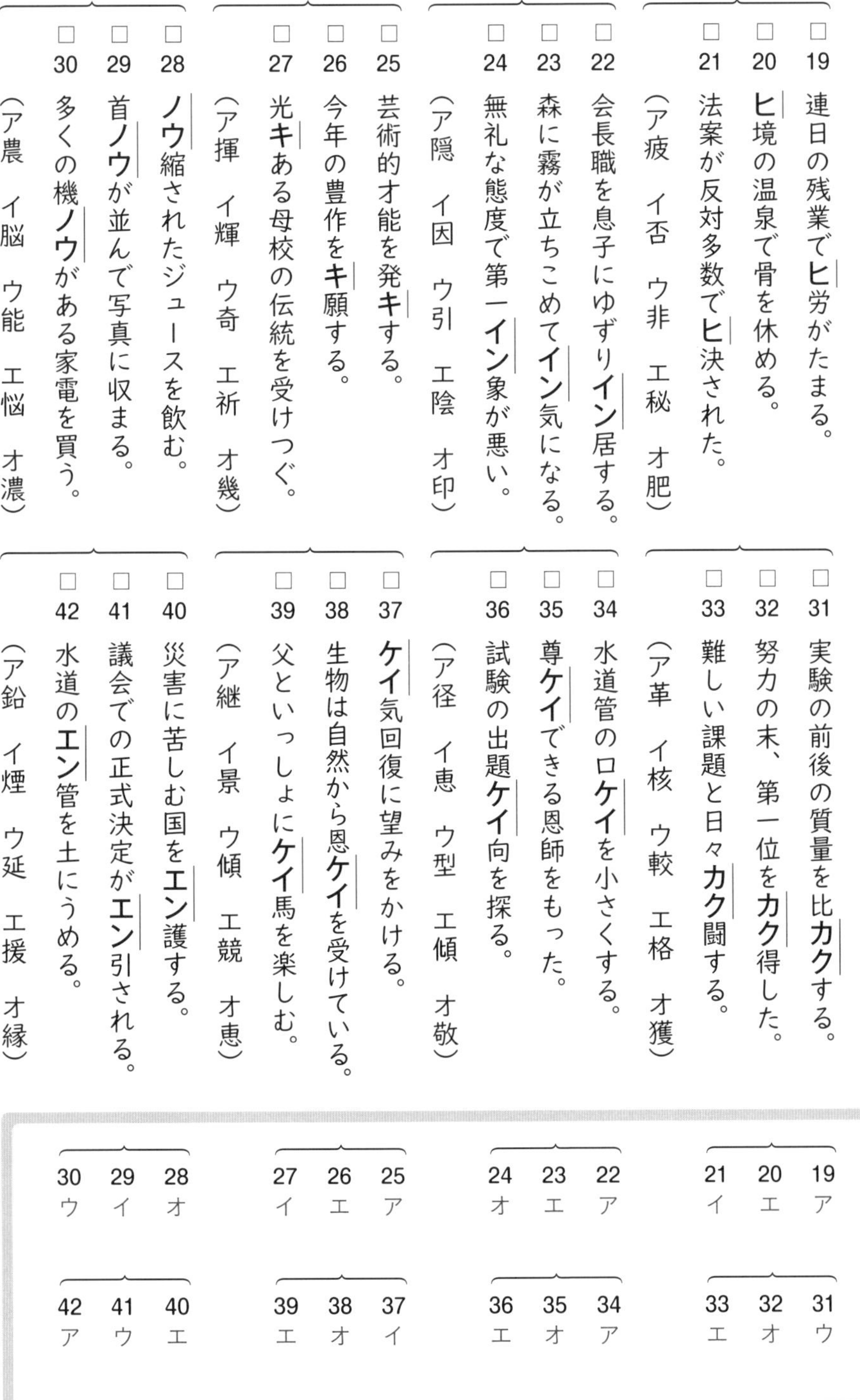

□ 19 連日の残業で**ヒ**労がたまる。
□ 20 **ヒ**境の温泉で骨を休める。
□ 21 法案が反対多数で**ヒ**決された。
(ア疲　イ否　ウ非　エ秘　オ肥)

□ 22 会長職を息子にゆずり**イン**居する。
□ 23 森に霧が立ちこめて**イン**気になる。
□ 24 無礼な態度で第一**イン**象が悪い。
(ア隠　イ因　ウ引　エ陰　オ印)

□ 25 芸術的才能を発**キ**する。
□ 26 今年の豊作を**キ**願する。
□ 27 光**キ**ある母校の伝統を受けつぐ。
(ア揮　イ輝　ウ奇　エ祈　オ幾)

□ 28 **ノウ**縮されたジュースを飲む。
□ 29 首**ノウ**が並んで写真に収まる。
□ 30 多くの機**ノウ**がある家電を買う。
(ア農　イ脳　ウ能　エ悩　オ濃)

□ 31 実験の前後の質量を比**カク**する。
□ 32 努力の末、第一位を**カク**得した。
□ 33 難しい課題と日々**カク**闘する。
(ア革　イ核　ウ較　エ格　オ獲)

□ 34 水道管の口**ケイ**を小さくする。
□ 35 尊**ケイ**できる恩師をもった。
□ 36 試験の出題**ケイ**向を探る。
(ア径　イ恵　ウ型　エ傾　オ敬)

□ 37 **ケイ**気回復に望みをかける。
□ 38 生物は自然から恩**ケイ**を受けている。
□ 39 父といっしょに**ケイ**馬を楽しむ。
(ア継　イ景　ウ傾　エ競　オ恵)

□ 40 災害に苦しむ国を**エン**護する。
□ 41 議会での正式決定が**エン**引される。
□ 42 水道の**エン**管を土にうめる。
(ア鉛　イ煙　ウ延　エ援　オ縁)

19 ア　20 エ　21 イ
22 ア　23 エ　24 オ
25 ア　26 エ　27 イ
28 オ　29 イ　30 ウ
31 ウ　32 オ　33 エ
34 ア　35 オ　36 エ
37 イ　38 オ　39 エ
40 エ　41 ウ　42 ア

合否の分かれ目！
頻出度

B 部首

目標正答率 85%

／36

※次の漢字の部首をア～エの中から選べ。

□1 翌（ア 羽　イ 亠　ウ 立　エ 二）

□2 屈（ア 厂　イ 尸　ウ 屮　エ 山）

□3 即（ア 卩　イ 厶　ウ 艮　エ 日）

□4 壊（ア 罒　イ 衣　ウ 𡈽　エ 十）

□5 属（ア 尸　イ 口　ウ ノ　エ 虫）

□6 凡（ア 丶　イ ノ　ウ 儿　エ 几）

□7 盤（ア 舟　イ 几　ウ 殳　エ 皿）

□8 髪（ア 長　イ 又　ウ 彡　エ 髟）

□9 載（ア 弋　イ 戈　ウ 土　エ 車）

□10 暦（ア 木　イ 一　ウ 日　エ 厂）

□11 剤（ア 亠　イ 文　ウ 斉　エ 刂）

□12 敵（ア 攵　イ 立　ウ 口　エ 又）

□13 握（ア 扌　イ 至　ウ 土　エ 尸）

□14 盛（ア ノ　イ 皿　ウ 戈　エ 厂）

□15 雑（ア 隹　イ 乙　ウ 木　エ 亻）

□16 瞬（ア 目　イ 舛　ウ 冖　エ 爫）

標準解答

1	2	3	4	5	6	7	8
ア	イ	ア	ウ	ア	エ	エ	エ

9	10	11	12	13	14	15	16
エ	ウ	エ	ア	ア	イ	ア	ア

- □ 17 繁（ア 幺　イ 糸　ウ 攵　エ 母）
- □ 18 襲（ア 亠　イ 月　ウ 衣　エ 立）
- □ 19 顔（ア 貝　イ 立　ウ 頁　エ 彡）
- □ 20 鎖（ア ⺍　イ 貝　ウ 釒　エ 目）
- □ 21 攻（ア ノ　イ 攵　ウ 又　エ 工）
- □ 22 盟（ア 日　イ 皿　ウ 罒　エ 月）
- □ 23 微（ア 彳　イ 攵　ウ 儿　エ 山）
- □ 24 憶（ア 立　イ 日　ウ 忄　エ 亠）
- □ 25 歓（ア 隹　イ ノ　ウ 欠　エ 二）
- □ 26 井（ア 十　イ 二　ウ ノ　エ 一）

- □ 27 寝（ア 宀　イ 冫　ウ 又　エ 冖）
- □ 28 豪（ア 口　イ 豕　ウ 亠　エ 冖）
- □ 29 驚（ア 勹　イ 攵　ウ 艹　エ 馬）
- □ 30 暴（ア 二　イ 氺　ウ 八　エ 日）
- □ 31 更（ア 曰　イ 人　ウ 大　エ 一）
- □ 32 躍（ア ⻊　イ 止　ウ 隹　エ 羽）
- □ 33 層（ア 田　イ 八　ウ 日　エ 尸）
- □ 34 暇（ア 又　イ 二　ウ 口　エ 日）
- □ 35 鮮（ア 羊　イ 灬　ウ 田　エ 魚）
- □ 36 盆（ア 刀　イ 皿　ウ 八　エ 罒）

17	18	19	20	21	22	23	24	25	26
イ	ウ	ウ	ウ	イ	イ	ア	ウ	ウ	イ

27	28	29	30	31	32	33	34	35	36
ア	イ	エ	エ	ア	ア	エ	エ	エ	イ

熟語の構成──①

※熟語の構成には次のようなものがある。

ア　同じような意味の漢字を重ねたもの（例　岩石）
イ　反対または対応の意味を表す字を重ねたもの（例　高低）
ウ　上の字が下の字を修飾しているもの（例　洋画）
エ　下の字が上の字の目的語・補語となっているもの（例　着席）
オ　上の字が下の字の意味を打ち消しているもの（例　非常）

次の熟語はそのどれに当たるか、記号を記せ。

□1 戦闘
□2 汚濁
□3 退陣
□4 捕球
□5 豪雨
□6 荒野
□7 耐震
□8 腐敗
□9 指紋
□10 猛烈
□11 冒険
□12 自他

標準解答

1 ア　どちらも「たたかう」の意
2 ア　どちらも「よごれる」の意
3 エ　「退く←陣地を」と解釈する
4 エ　「捕る←球を」と解釈する
5 ウ　「荒々しい+雨」と解釈する
6 ウ　「荒れ果てた+野原」と解釈する
7 エ　「耐える←地震に」と解釈する
8 ア　どちらも「だめになる」の意
9 ウ　「指先の+紋様」と解釈する
10 ア　どちらも「はげしい」の意
11 エ　「おかす←危険を」と解釈する
12 イ　「自分」⇔「他人」の意

□13 秀作
□14 抜群
□15 堅固
□16 屈指
□17 店舗
□18 雅俗
□19 援助
□20 離陸

□21 巡回
□22 樹齢
□23 舞踊
□24 西暦
□25 脱帽
□26 断続
□27 朗報
□28 歓声

□29 珍奇
□30 積載
□31 妙案
□32 微量
□33 未納
□34 執刀
□35 不順
□36 調髪

13 ウ 「優秀な＋作品」と解釈する
14 エ 「ずば抜けている↑大勢の中で」と解釈する
15 ア どちらも「かたい」の意
16 エ 「折る↑指を」と解釈する
17 ア どちらも「みせ」の意
18 イ 「おくゆかしい」⇕「いやしい」の意
19 ア どちらも「たすける」の意
20 エ 「離れる↑陸を」と解釈する

21 ア どちらも「まわる」の意
22 ウ 「樹木の＋年齢」と解釈する
23 ア どちらも「おどる」の意
24 ウ 「西洋の＋暦」と解釈する
25 エ 「脱ぐ↑帽子を」と解釈する
26 イ 「とぎれる」⇕「続く」の意
27 ウ 「うれしい＋しらせ」と解釈する
28 ウ 「よろこびの＋声」と解釈する

29 ア どちらも「めずらしい」の意
30 ア どちらも「つむ」の意
31 ウ 「じょうずな＋考え」と解釈する
32 ウ 「わずかな＋量」と解釈する
33 オ 「まだしていない↑納めることを」と解釈する
34 エ 「とる↑刀（メス）を」と解釈する
35 オ 「順調ではない」と解釈する
36 エ 「ととのえる↑髪を」と解釈する

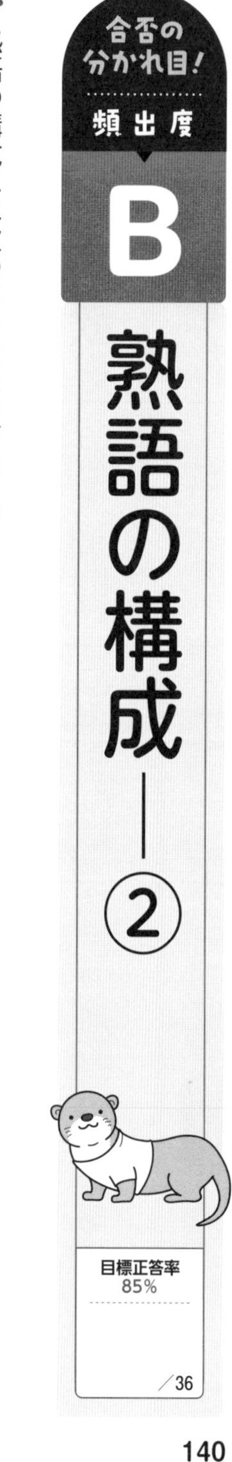

熟語の構成――②

※熟語の構成には次のようなものがある。

- **ア** 同じような意味の漢字を重ねたもの（例　岩石）
- **イ** 反対または対応の意味を表す字を重ねたもの（例　高低）
- **ウ** 上の字が下の字を修飾しているもの（例　洋画）
- **エ** 下の字が上の字の目的語・補語となっているもの（例　着席）
- **オ** 上の字が下の字の意味を打ち消しているもの（例　非常）

次の熟語はそのどれに当たるか、記号を記せ。

□1 詳細　□2 珍事　□3 出陣　□4 就寝
□5 救援　□6 巨大　□7 脱皮　□8 耐寒
□9 傍観　□10 執筆　□11 収支　□12 鉄塔

標準解答

1 ア　どちらも「くわしい」の意
2 ウ　「珍しい＋できごと」と解釈する
3 エ　「出る←陣地を」と解釈する
4 エ　「つく←寝床に」と解釈する
5 ア　どちらも「たすける」の意
6 ア　どちらも「おおきい」の意
7 エ　「脱ぎ捨てる←古い皮を」と解釈する
8 エ　「耐える←寒さに」と解釈する
9 ウ　「かたわらで＋見る」と解釈する
10 エ　「手にとる←筆を」と解釈する
11 イ　「収入」⇔「支出」の意
12 ウ　「鉄でできた＋塔」と解釈する

□13 加減
□14 鋭敏
□15 未到
□16 朗読
□17 未完
□18 不屈
□19 拍手
□20 騒音

□21 違約
□22 違反
□23 猛攻
□24 瞬間
□25 未踏
□26 越境
□27 鬼才
□28 不問

□29 寸劇
□30 需給
□31 思慮
□32 噴火
□33 恐怖
□34 失脚
□35 未詳
□36 侵犯

13 イ 「加える」⇔「減らす」の意

14 ア どちらも「するどい」の意

15 オ 「まだできていない↑到達することが」と解釈する

16 ウ 「声を出して(朗)＋読む」と解釈する

17 オ 「まだできていない↑完成することが」と解釈する

18 オ 「屈服しない」と解釈する

19 エ 「たたく↑手を」と解釈する

20 ウ 「騒がしい＋音」と解釈する

21 エ 「違反する↑約束に」と解釈する

22 ア どちらも「違う、反する」の意

23 ウ 「はげしい＋攻撃」と解釈する

24 ウ 「まばたきをする＋時間」と解釈する

25 オ 「まだしていない↑踏み入れることを」と解釈する

26 エ 「越える↑境界を」と解釈する

27 ウ 「鬼のような（人間離れした）＋才能」と解釈する

28 オ 「問題にしない」と解釈する

29 ウ 「ごく短い＋劇」と解釈する

30 イ 「需要」⇔「供給」の意

31 ア どちらも「おもう」の意

32 エ 「噴き出す↑火口から」と解釈する

33 ア どちらも「おそろしい」の意

34 エ 「失う↑立場を」と解釈する

35 オ 「まだできていない↑詳しくわかることが」と解釈する

36 ア どちらも「おかす」の意

熟語の構成──③

※熟語の構成には次のようなものがある。

ア　同じような意味の漢字を重ねたもの（例　岩石）
イ　反対または対応の意味を表す字を重ねたもの（例　高低）
ウ　上の字が下の字を修飾しているもの（例　洋画）
エ　下の字が上の字の目的語・補語となっているもの（例　着席）
オ　上の字が下の字の意味を打ち消しているもの（例　非常）

次の熟語はそのどれに当たるか、記号を記せ。

□1 路傍　□5 旧暦　□9 攻守
□2 敵陣　□6 予測　□10 濃霧
□3 取捨　□7 激突　□11 追跡
□4 不振　□8 越冬　□12 橋脚

標準解答

1 ウ 「みちの＋かたわら」と解釈する
2 ウ 「敵の＋陣地」と解釈する
3 イ 「取る」⇔「捨てる」の意
4 オ 「勢いなどが振るわない」と解釈する
5 ウ 「ふるい＋暦」と解釈する
6 ウ 「あらかじめ＋推測する」と解釈する
7 ウ 「激しく＋突き当たる」と解釈する
8 エ 「越す←冬を」と解釈する
9 イ 「攻める」⇔「守る」の意
10 ウ 「濃い＋霧」と解釈する
11 エ 「追う←跡を」と解釈する
12 ウ 「橋の＋あし」と解釈する

□13 劣悪
□14 即答
□15 奇数
□16 不備
□17 避暑
□18 清濁
□19 運搬
□20 斜面

□21 迎春
□22 難易
□23 旧姓
□24 不慮
□25 鮮明
□26 呼応
□27 寝台
□28 巨体

□29 退却
□30 越権
□31 鉄壁
□32 近況
□33 抜歯
□34 未婚
□35 無為
□36 出荷

13 ア どちらも「劣る、悪い」の意
14 ウ 「即座に＋答える」と解釈する
15 ウ 「割り切れない＋数」と解釈する
16 オ 「備わらない」と解釈する
17 エ 「避ける←暑さを」と解釈する
18 イ 「清い」⇔「濁っている」の意
19 ア どちらも「はこぶ」の意
20 ウ 「斜めの＋地面」と解釈する

21 エ 「迎える←春を」と解釈する
22 イ 「難しい」⇔「易しい」の意
23 ウ 「ふるい＋姓」と解釈する
24 オ 「ではない←考えていたこと」と解釈する
25 ア どちらも「はっきりしている」の意
26 イ 「呼ぶ」⇔「応える」の意
27 ウ 「寝るための＋台」と解釈する
28 ウ 「おおきな＋体」と解釈する

29 ア どちらも「しりぞく」の意
30 エ 「越える←権限を」と解釈する
31 ウ 「鉄の＋壁」と解釈する
32 ウ 「近ごろの＋状況」と解釈する
33 エ 「抜く←歯を」と解釈する
34 オ 「まだしていない←結婚を」と解釈する
35 オ 「ない←作為が」と解釈する
36 エ 「出す←荷物を」と解釈する

合否の分かれ目！
頻出度 B

漢字識別 ―― ①

目標正答率 95%
／24

※三つの□に共通する漢字を□の中から選んで熟語を作り、記号で答えよ。

□ 1 □国・近□・□席
□ 2 厳□・処□・□金
□ 3 □達度・□底・□来
□ 4 □興・□刻・□座
□ 5 作□的・行□・□替

ア 到　イ 枯　ウ 軒　エ 為　オ 即
カ 玄　キ 罰　ク 誇　ケ 隣　コ 遣

□ 6 富□・□放・□遊
□ 7 給□・□党・授□
□ 8 満□・記□・連□
□ 9 御□・□下・神□
□ 10 □遊・放□・□才

ア 載　イ 殿　ウ 漫　エ 恒　オ 与
カ 御　キ 豪　ク 抗　ケ 互　コ 鼓

標準解答

1 ケ 隣
2 キ 罰
3 ア 到
4 オ 即
5 エ 為
6 キ 豪
7 オ 与
8 ア 載
9 イ 殿
10 ウ 漫

□ 11 □梅・□白・真□

□ 12 円□・□営・退□

□ 13 講□・□然・□明

□ 14 □撃・踏□・□来

□ 15 □食・□犯・□略

□ 16 中□・後□者・□続

□ 17 情□・□旨・□向

ア 込	イ 荒	ウ 豪	エ 趣	オ 襲
カ 腰	キ 侵	ク 攻	ケ 項	コ 陣
サ 更	シ 釈	ス 稿	セ 継	ソ 紅

□ 18 歌□・民□・童□

□ 19 太□・□舞・□動

□ 20 □音・混□・□流

□ 21 選□・奇□・□群

□ 22 □細・不□・□報

□ 23 波□・普□・□第

□ 24 □送・運□・□入

ア 婚	イ 彩	ウ 鼓	エ 咲	オ 歳
カ 惨	キ 謡	ク 剤	ケ 抜	コ 及
サ 搬	シ 載	ス 鎖	セ 濁	ソ 詳

---

11 ソ 紅
12 コ 陣
13 シ 釈
14 オ 襲
15 キ 侵
16 セ 継
17 エ 趣
18 キ 謡
19 ウ 鼓
20 セ 濁
21 ケ 抜
22 ソ 詳
23 コ 及
24 サ 搬

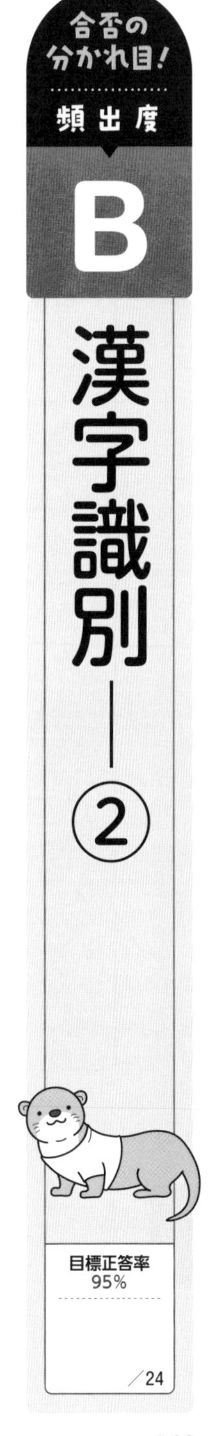

漢字識別――②

※三つの□に共通する漢字を［　］の中から選んで熟語を作り、記号で答えよ。

□1 □春・□撃・送□
□2 □濁・□点・□損
□3 □出・□発・指□
□4 □風・□厳・□圧
□5 □細・機□・□粒子

ア 摘　イ 微　ウ 刺　エ 伺　オ 威
カ 汚　キ 旨　ク 迎　ケ 紫　コ 脂

□6 □折・□服・退□
□7 □上・□世絵・□力
□8 □夫・気□・背□
□9 □口・□険・□影
□10 □殺・暗□・□読

ア 斜　イ 煮　ウ 浮　エ 雌　オ 黙
カ 陰　キ 芝　ク 執　ケ 丈　コ 屈

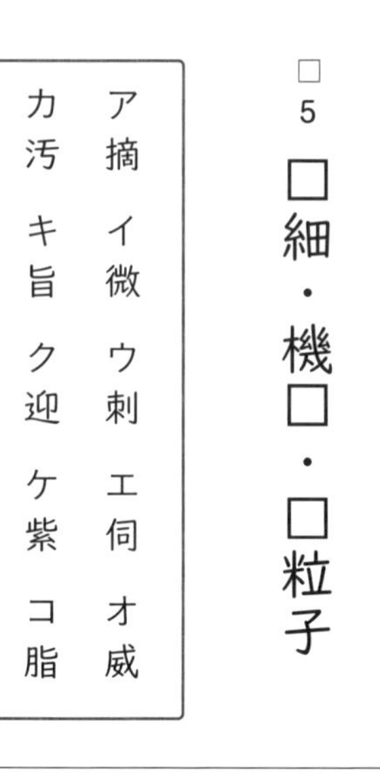

標準解答

1 ク 迎　2 カ 汚　3 ア 摘　4 オ 威　5 イ 微
6 コ 屈　7 ウ 浮　8 ケ 丈　9 カ 陰　10 オ 黙

□ 11 □持・□物・□実

□ 12 □識・是□・確□

□ 13 先□・□麗・□末

□ 14 □射・□火・□煙

□ 15 環□・□内・順□

□ 16 要□・□郷・切□

□ 17 □球・□食・□獲

ア 秀	イ 端	ウ 狩	エ 舟	オ 朱
カ 認	キ 捕	ク 釈	ケ 需	コ 堅
サ 趣	シ 境	ス 寂	セ 望	ソ 噴

□ 18 □喜・□騒・□言

□ 19 □例・□常・□久

□ 20 □雨・□鳴・遠□

□ 21 新□・□明・□血

□ 22 医□・荒□治・□養

□ 23 寝□・□下・起□

□ 24 □漢・□費・□万

ア 獣	イ 召	ウ 療	エ 盾	オ 床
カ 旬	キ 柔	ク 鮮	ケ 瞬	コ 狂
サ 巨	シ 巡	ス 恒	セ 襲	ソ 雷

---

11 コ 堅
12 カ 認
13 イ 端
14 ソ 噴
15 シ 境
16 セ 望
17 キ 捕

18 コ 狂
19 ス 恒
20 ソ 雷
21 ク 鮮
22 ウ 療
23 オ 床
24 サ 巨

漢字パズル 2

八角形の周りにあるそれぞれの漢字と二字熟語になる漢字を、中央に１文字入れましょう。読み方は内から外、外から内のどちらでもかまいません。

❶
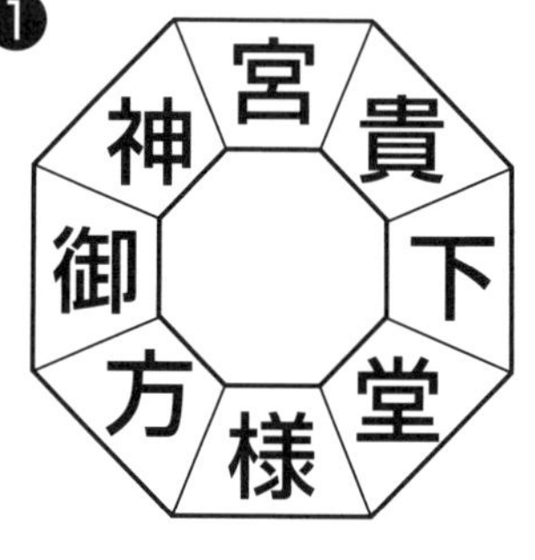

❷
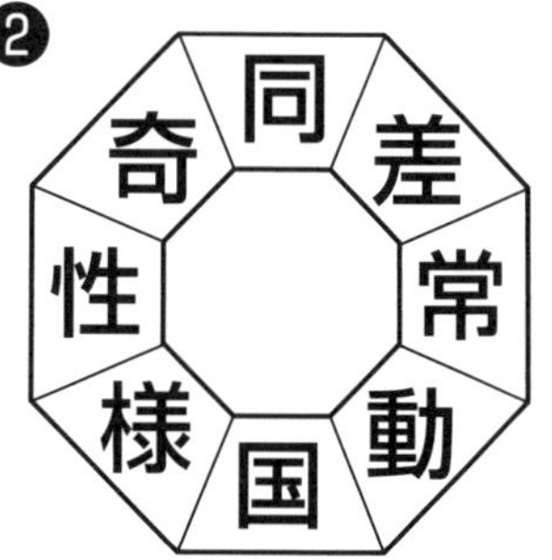

❸
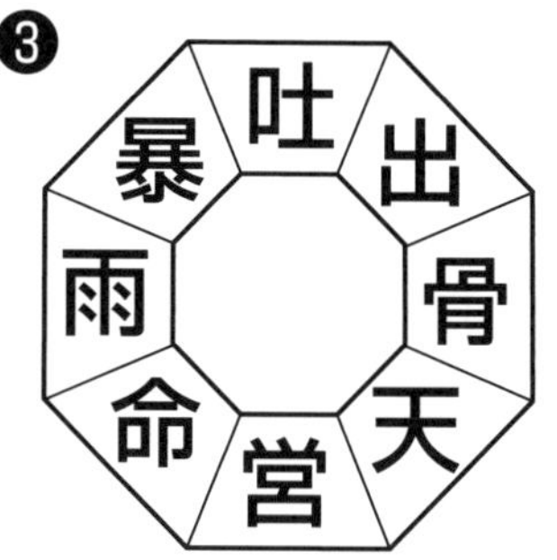

❹
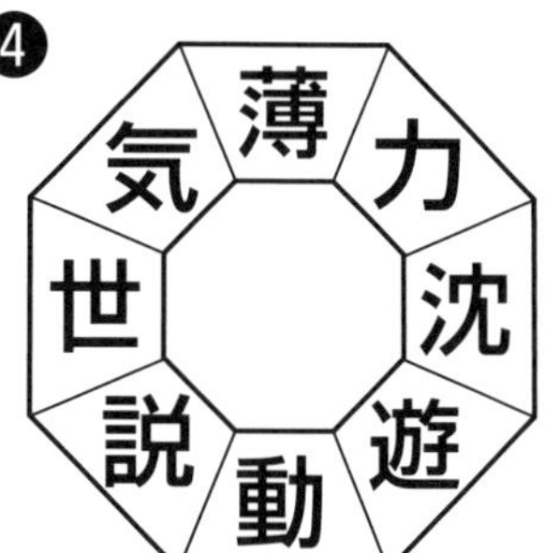

答え

❶

❷

❸

❹

実力チェック
模擬試験

第1回 模擬試験

標準解答 180ページ

160点以上 合格安全圏
140点以上 合格範囲内
139点以下 努力が必要

制限時間:60分

/200

※実際の試験形式と異なる場合があります。実力チェック用としてお使いください。

1 次の——線の読みをひらがなで記せ。（各1×30=30点）

1 暑さ寒さも**彼岸**まで。（　　）
2 日本庭園の**静寂**が心地よい。（　　）
3 批判の**矛先**が自分に向けられる。（　　）
4 **脈絡**のない話にうんざりする。（　　）
5 貴重な経験談を雑誌に**寄稿**する。（　　）
6 大都市に**匹敵**する人口だ。（　　）
7 **腕章**をつけた職員が案内する。（　　）
8 閉じこもって**黙想**にふける。（　　）
9 離れた両親に**近況**を報告する。（　　）
10 データに**作為**の跡が見られる。（　　）
11 高校三年間を**皆勤**で卒業した。（　　）
12 **悲惨**な交通事故が後を絶たない。（　　）
13 海外に**渡航**して商談を進める。（　　）
14 **傍線**の言葉を和訳しなさい。（　　）
15 山村の**民俗**を研究調査する。（　　）
16 沼を**干拓**して農地を増やす。（　　）
17 工場の機械を自動で**制御**する。（　　）
18 **威儀**を正して式に臨む。（　　）
19 全文の**要旨**を冒頭に記す。（　　）
20 主張の**相違**を明らかにする。（　　）
21 太い**縁**の眼鏡を愛用する。（　　）
22 **寂**しい通りだから気をつけて。（　　）
23 **幾**ら考えても思いつかない。（　　）
24 洗たく物を洗剤液に**浸**す。（　　）
25 我が校が**誇**る設備です。（　　）
26 大雨で川の水が**濁**る。（　　）
27 うまい話につい**惑**わされる。（　　）
28 強風で庭の老木が**傾**いた。（　　）
29 株に投資して資産を**殖**やした。（　　）
30 葉の先から**滴**が落ちた。（　　）

2 **次の――線のカタカナにあてはまる漢字をそれぞれア～オから選び、記号で記せ。** (各2×15＝30点)

1 フ沈空母として恐れられている。（　　）
2 人とのフれ合いを大切にする。（　　）
3 浜に打ち上げられた魚がフ敗する。（　　）
（ア膚　イ腐　ウ不　エ触　オ負）

4 趣味でヨウ曲を習い始めた。（　　）
5 職人が配管をヨウ接する。（　　）
6 村の民族舞ヨウをひろうする。（　　）
（ア陽　イ溶　ウ謡　エ幼　オ踊）

7 新聞に小説を連サイしている。（　　）
8 鉄道建設に長いサイ月を要した。（　　）
9 水サイ画でスミレの花をかいた。（　　）
（ア彩　イ再　ウ載　エ歳　オ済）

10 中ケン社員として会社を支える。（　　）
11 首都ケンに人口が集中する。（　　）
12 選手とコーチをケン任する。（　　）
（ア建　イ圏　ウ兼　エ堅　オ軒）

13 贈り物に感謝の手紙をソえる。（　　）
14 上体をソらす運動をする。（　　）
15 真っ白な生地を深紅にソめる。（　　）
（ア染　イ添　ウ初　エ反　オ沿）

3 **三つの□に共通する漢字を［　］の中から選んで熟語を作り、記号で答えよ。** (各2×5＝10点)

1 □暑・逃□・□難（　　）
2 □章・指□・家□（　　）
3 夜□・雨□・□骨（　　）
4 □念・固□・□筆（　　）
5 □間・一□・□発力（　　）

ア 依	カ 露
イ 扱	キ 瞬
ウ 避	ク 執
エ 偉	ケ 握
オ 紋	コ 威

4 熟語の構成のしかたには次のようなものがある。

ア 同じような意味の漢字を重ねたもの　（例 岩石）
イ 反対または対応の意味を表す字を重ねたもの　（例 高低）
ウ 上の字が下の字を修飾しているもの　（例 洋画）
エ 下の字が上の字の目的語・補語になっているもの　（例 着席）
オ 上の字が下の字の意味を打ち消しているもの　（例 非常）

次の熟語はそのどれにあたるか、記号で記せ。（各2×10＝20点）

1 未婚（　　）
2 直訴（　　）
3 恩恵（　　）
4 送迎（　　）
5 存亡（　　）
6 陰陽（　　）
7 尽力（　　）
8 賞罰（　　）
9 平凡（　　）
10 仰天（　　）

5 次の漢字の部首をア～エの中から選んで、○で囲め。（各1×10＝10点）

1 殿（ア 殳　イ 又　ウ 尸　エ 八）
2 項（ア ハ　イ ェ　ウ 頁　エ 貝）
3 扇（ア 羽　イ 冫　ウ 戸　エ 尸）
4 衛（ア 彳　イ 亻　ウ 口　エ 行）
5 奥（ア 米　イ 大　ウ 一　エ 冂）
6 壱（ア 士　イ 匕　ウ 十　エ 冖）
7 柔（ア 十　イ 木　ウ ノ　エ 矛）
8 再（ア 二　イ 一　ウ 十　エ 冂）
9 翼（ア 田　イ 羽　ウ 二　エ 八）
10 街（ア 行　イ 亅　ウ 彳　エ 土）

6 **後の［　］の中の語を必ず一度使って漢字に直し、対義語・類義語を完成させよ。** （各2×10＝20点）

【対義語】

1 希薄―濃□（　　）
2 消費―□蓄（　　）
3 繁雑―簡□（　　）
4 歓声―悲□（　　）
5 航行―□泊（　　）

【類義語】

6 対等―互□（　　）
7 縁者―親□（　　）
8 健康―丈□（　　）
9 理由―□拠（　　）
10 釈明―□解（　　）

かく・こん・ちょ・てい・ぶ・べん・みつ・めい・りゃく・るい

---

7 **次の――線のカタカナを漢字一字と送りがな（ひらがな）に直せ。** （各2×5＝10点）

1 成績が格段に**スグレ**ている。（　　）
2 **チラカシ**た部屋を片付ける。（　　）
3 満月が**カガヤイ**ている。（　　）
4 芸能人の急な引退に**オドロイ**た。（　　）
5 **キタナイ**言葉遣いを正す。（　　）

8 **次の――線のカタカナを漢字に直し、四字熟語を完成させよ。**（各2×10＝20点）

1 頭**カン**足熱のおかげで快眠だ。（　　）
2 問題の解決は五**リ**霧中の状態だ。（　　）
3 全国の名所**キュウ**跡を巡った。（　　）
4 羽目を外して牛飲**バ**食した。（　　）
5 **ホウ**年満作を神社に祈願する。（　　）
6 **ソッ**先垂範して行動すべきだ。（　　）
7 仏閣の故事来**レキ**を調べた。（　　）
8 各地で天**サイ**地変に見舞われる。（　　）
9 起承**テン**結に従って話す。（　　）
10 経営が悪化し青息**ト**息の状態だ。（　　）

9 **次の文中にまちがって使われている同じ音訓の漢字が一字ある。まちがっている漢字を上の（　）に、正しい漢字を下の（　）に記せ。**（各2×5＝10点）

誤　正

1 来るべき地震に備えて、公共性の高い建物から先に保強した。（　）→（　）
2 学生時代からの特意な英語を駆使して、国際舞台の第一線で活躍する。（　）→（　）
3 労働条件を快善したことが功を奏して、離職をとどまる従業員が増えた。（　）→（　）
4 周辺地域の多くの住民が近所の公園の美化活動に自発的に賛加した。（　）→（　）
5 世界屈指の難工事の現場を試揮して、事故もなく成功を収めた。（　）→（　）

10 **次の――線のカタカナを漢字に直せ。**（各2×20＝40点）

1 警官隊が建物に**トツニュウ**した。（　　）
2 遠くまで**サキュウ**が続いている。（　　）
3 多数の来客により店は**タボウ**だ。（　　）
4 **ネツレツ**なファンが押しかける。（　　）
5 定価より安く**ハンバイ**する。（　　）
6 工事費の見積もりを**ケントウ**する。（　　）
7 魚を冷やして**センド**を保つ。（　　）
8 六時に**キショウ**して散歩する。（　　）
9 駅前に**キョダイ**なビルが林立する。（　　）
10 健康のために**ゲンマイ**食を好む。（　　）

11 お気に入りの**コウスイ**をつける。（　　）
12 昨年と**ヒカク**して雨が多い。（　　）
13 高価な美術品を慎重に**アツカ**う。（　　）
14 地図を**タヨ**って山に登る。（　　）
15 冷たい牛乳をなべに**ソソ**いだ。（　　）
16 川辺でホタルを**ツカ**まえた。（　　）
17 不注意な発言を**ハ**じる。（　　）
18 一日中畑仕事で**アセ**を流した。（　　）
19 **イサ**ましいかけ声が響きわたる。（　　）
20 強風が吹きすさび海が**ア**れた。（　　）

第2回 模擬試験

標準解答 182ページ

180点以上 合格安全圏
160点以上 合格範囲内
159点以下 努力が必要

制限時間：60分

/200

※実際の試験形式と異なる場合があります。実力チェック用としてお使いください。

1 次の――線の読みをひらがなで記せ。（各1×30＝30点）

1 農園内の害虫を**駆除**する。（　）
2 川の**汚濁**の程度を調査する。（　）
3 勝利への**執念**を燃やす。（　）
4 主人公の**微細**な心理を描写する。（　）
5 病気の母の**介抱**で病院に通う。（　）
6 **毛髪**をシャンプーで洗う。（　）
7 検事として**敏腕**をふるう。（　）
8 古都で**史跡**巡りを楽しんだ。（　）
9 **余暇**の活用は大切なことだ。（　）
10 技術革新で業績が**飛躍**的に伸びた。（　）
11 **木綿**豆腐にしょう油をかける。（　）
12 大量の事務作業に**忙殺**される。（　）
13 **傾斜**の急な坂道をかけ上がる。（　）
14 意中の大学への合格を**祈願**する。（　）
15 加工食品に**香料**を添加する。（　）
16 情報不足が不安を**増幅**させた。（　）
17 反対意見を述べたが**黙殺**された。（　）
18 メダルを手にして**感涙**にむせぶ。（　）
19 名投手が野球**殿堂**入りした。（　）
20 天候不順による**凶作**が心配だ。（　）
21 切れ味が**鈍**ったようだ。（　）
22 お年を**召**した女性に席をゆずる。（　）
23 午後に入って**更**に風が強まった。（　）
24 職員が本部に指示を**仰**いだ。（　）
25 おめかしして**芝居**見物に行く。（　）
26 老後に備えて財産を**蓄**える。（　）
27 貯めた**小遣**いで服を買う。（　）
28 庭の花を**摘**んで花びんに生ける。（　）
29 赤子が**寝息**を立てている。（　）
30 命令に**背**いて処分を受ける。（　）

2 次の——線のカタカナにあてはまる漢字をそれぞれア〜オから選び、記号で記せ。

（各2×15＝30点）

1 雪解けの水が地下に浸トウする。（　）
2 従前のやり方をトウ襲する。（　）
3 会議でトウ突に質問された。（　）
（ア透　イ倒　ウ闘　エ唐　オ踏）

4 不キュウの名作を残した。（　）
5 ラクダに乗って砂キュウを旅する。（　）
6 けい帯電話が普キュウする。（　）
（ア給　イ旧　ウ及　エ朽　オ丘）

7 提案の採否をシン重に判断する。（　）
8 他人の権利をシン害する。（　）
9 成績不シンで二軍に降格された。（　）
（ア浸　イ侵　ウ振　エ針　オ慎）

10 ひなの雌雄をカン別する。（　）
11 期末に会社の会計をカン査する。（　）
12 議員に辞職をカン告する。（　）
（ア監　イ甘　ウ勧　エ鑑　オ環）

13 友人を裏切った自分をハじた。（　）
14 草むらでバッタが勢いよくハねた。（　）
15 道がハてしなく長く続いている。（　）
（ア吐　イ果　ウ恥　エ跳　オ生）

3 三つの□に共通する漢字を［　］の中から選んで熟語を作り、記号で答えよ。

（各2×5＝10点）

1 記□・満□・連□（　）
2 □憲・□反・□約（　）
3 規□・模□・□囲（　）
4 猛□・□火・□風（　）
5 □惑・□路・□子（　）

ア 稲	カ 載
イ 維	キ 烈
ウ 違	ク 緯
エ 壱	ケ 範
オ 為	コ 迷

4 **熟語の構成のしかたには次のようなものがある。**

ア 同じような意味の漢字を重ねたもの（例 岩石）
イ 反対または対応の意味を表す字を重ねたもの（例 高低）
ウ 上の字が下の字を修飾しているもの（例 洋画）
エ 下の字が上の字の目的語・補語になっているもの（例 着席）
オ 上の字が下の字の意味を打ち消しているもの（例 非常）

次の熟語はそのどれにあたるか、記号で記せ。（各2×10＝20点）

1 製菓（　）
2 瞬間（　）
3 優劣（　）
4 濃淡（　）
5 雅俗（　）
6 不屈（　）
7 遠征（　）
8 着脱（　）
9 歌謡（　）
10 禁煙（　）

5 **次の漢字の部首をア〜エの中から選んで、○で囲め。**（各1×10＝10点）

1 鬼（ア 厶 イ 鬼 ウ 田 エ 儿）
2 盾（ア 十 イ ノ ウ 厂 エ 目）
3 隷（ア 士 イ 氺 ウ 隶 エ 示）
4 競（ア 立 イ 亠 ウ 口 エ 儿）
5 趣（ア 又 イ 土 ウ 走 エ 耳）
6 朱（ア 十 イ 牛 ウ 木 エ 二）
7 圏（ア 口 イ 人 ウ 大 エ 己）
8 床（ア 厂 イ 木 ウ 十 エ 广）
9 堅（ア 臣 イ 又 ウ 土 エ 一）
10 歳（ア 戈 イ 止 ウ 示 エ 厂）

6 後の［　］の中の語を必ず一度使って漢字に直し、対義語・類義語を完成させよ。

（各2×10＝20点）

【対義語】

1 開放―□鎖（　　）
2 誕生―永□（　　）
3 返却―□用（　　）
4 中断―□続（　　）
5 冒頭―□尾（　　）

【類義語】

6 長者―□豪（　　）
7 加勢―□援（　　）
8 専有―□占（　　）
9 本気―真□（　　）
10 精進―□力（　　）

おう・けい・けん・しゃく・ど・どく・ふ・へい・まつ・みん

7 次の――線のカタカナを漢字一字と送りがな（ひらがな）に直せ。

（各2×5＝10点）

1 墓前に線香を<u>ソナエル</u>。（　　）
2 街が活気に<u>ミチル</u>。（　　）
3 <u>ナヤマシイ</u>問題を解決する。（　　）
4 特別に花見の席を<u>モウケル</u>。（　　）
5 早起きして朝日を<u>アビル</u>。（　　）

8 次の――線のカタカナを漢字に直し、四字熟語を完成させよ。（各2×10＝20点）

1 選手が縦横無**ジン**に動き回る。（　　）
2 宿敵に勝利して狂**キ**乱舞した。（　　）
3 金**カ**玉条のように規則を守る。（　　）
4 田植えの時**セツ**到来となった。（　　）
5 **ロウ**成円熟の域に達した話芸だ。（　　）
6 絶**タイ**絶命の苦境に立った。（　　）
7 売上の現**ジョウ**維持に努める。（　　）
8 旧**タイ**依然とした体制だ。（　　）
9 半信半**ギ**でうわさ話を聞いた。（　　）
10 **ウ**為転変は世の習いだ。（　　）

---

9 次の文中にまちがって使われている同じ音訓の漢字が一字ある。まちがっている漢字を上の（　）に、正しい漢字を下の（　）に記せ。（各2×5＝10点）

誤　正

1 科学技術の目覚ましい進典により生活の利便性が著しく向上した。（　）→（　）
2 有識者を交えて計画を綿密に検当した結果、幾つか修正を加えた。（　）→（　）
3 事故原因に対する事務次官のあいまいな答弁が様々な憶速を呼んだ。（　）→（　）
4 業者による無計画な市街地の開発に対して、とりしまる法令を制備した。（　）→（　）
5 環境破壊により生息場所を失った野鳥を、有志が集まって捕護した。（　）→（　）

10 次の——線のカタカナを漢字に直せ。（各2×20＝40点）

1 **コウタク**のある紙に印刷する。（　　）
2 **センパイ**に仕事の相談をする。（　　）
3 待ち合わせの時間に**チコク**する。（　　）
4 **ヘイボン**な人生を送った。（　　）
5 **シンライ**のおける友人に任せる。（　　）
6 **シンセン**な魚料理をふるまう。（　　）
7 冷たいグラスに**スイテキ**がつく。（　　）
8 両手の**アクリョク**をきたえる。（　　）
9 激しい**ライウ**でびしょぬれになる。（　　）
10 **レンアイ**小説を読みふける。（　　）

11 **ジョウブ**な生地で作業服を作る。（　　）
12 秘仏が**イッパン**に公開された。（　　）
13 日照り続きで土が**カワ**いている。（　　）
14 毛糸を使ってセーターを**ア**む。（　　）
15 火に油を**ソソ**ぐ。（　　）
16 ライバルを**ヌ**いて首位に浮上した。（　　）
17 **セマ**い道を多数の車が往来する。（　　）
18 終日、野良仕事で**ツカ**れる。（　　）
19 学内でひときわ異彩を**ハナ**った。（　　）
20 運動会当日は晴天に**メグ**まれた。（　　）

第3回 模擬試験

標準解答 184ページ

180点以上 合格安全圏
160点以上 合格範囲内
159点以下 努力が必要

制限時間：60分

/200

※実際の試験形式と異なる場合があります。実力チェック用としてお使いください。

1 次の——線の読みをひらがなで記せ。（各1×30＝30点）

1 セミの**羽化**をつぶさに観察する。（　）
2 **風雅**な暮らしを楽しむ。（　）
3 金属の**粒子**でみがきあげる。（　）
4 部品を工場に**搬入**した。（　）
5 悲しみをこらえ**気丈**にふるまう。（　）
6 祖父が**健脚**ぶりを発揮した。（　）
7 なごやかに**歓談**する。（　）
8 リサイクルが社会に**浸透**する。（　）
9 これは**極端**な例にすぎない。（　）
10 よく出来た細工に**感嘆**する。（　）
11 主将が部員を**鼓舞**した。（　）
12 会長をやめて**隠居**する。（　）
13 **内需**拡大が先決問題だ。（　）
14 法律に**抵触**する恐れがある。（　）
15 感染症により学級**閉鎖**になる。（　）
16 **就寝**時間を一定に保つ。（　）
17 息子は**天賦**の才の持ち主だ。（　）
18 専門家として百科事典を**監修**する。（　）
19 マンションの**老朽**化が進んでいる。（　）
20 野菜の**濃縮**ジュースを買った。（　）
21 食品の衛生管理に気を**遣**う。（　）
22 湖の周辺は霧で**煙**っていた。（　）
23 **雌**の飼いネコが子どもを産んだ。（　）
24 砂利の上に線路を**敷**いた。（　）
25 世間の**荒波**にもまれている。（　）
26 自分勝手な行動を厳に**慎**む。（　）
27 野原一面に草木が**茂**っている。（　）
28 **芝生**にたっぷり水をまく。（　）
29 家が**跡形**もなく取り壊された。（　）
30 つまらない失敗を心から**恥**じる。（　）

2 次の——線のカタカナにあてはまる漢字をそれぞれア～オから選び、記号で記せ。（各2×15＝30点）

1 おかずに魚の**カン**露煮を作る。（　）
2 発**カン**作用があるかぜ薬だ。（　）
3 店の**カン**板を目立つ所に置く。（　）
（ア勧　イ汗　ウ甘　エ監　オ看）

4 親切な行**イ**に感謝する。（　）
5 健康**イ**持のために運動する。（　）
6 見解の相**イ**について質問する。（　）
（ア違　イ依　ウ位　エ維　オ為）

7 しばらく成り行きを**ボウ**観する。（　）
8 式の**ボウ**頭で校長が祝辞を述べる。（　）
9 見事な仕事ぶりに脱**ボウ**する。（　）
（ア棒　イ冒　ウ帽　エ傍　オ坊）

10 言い争いから**ソウ**動になった。（　）
11 熱風で食器を乾**ソウ**する。（　）
12 ヘリコプターを**ソウ**縦する。（　）
（ア燥　イ総　ウ騒　エ操　オ創）

13 責任者として現場の指揮を**ト**る。（　）
14 記者に苦しい胸中を**ト**露した。（　）
15 駅前のホテルに**ト**まった。（　）
（ア富　イ執　ウ説　エ泊　オ吐）

3 三つの□に共通する漢字を［　］の中から選んで熟語を作り、記号で答えよ。（各2×5＝10点）

1 □党・関□・給□（　）
2 遊□・□曲・□画（　）
3 □星・思□・困□（　）
4 豪□・□力・敏□（　）
5 □談・□側・額□（　）

ア 鋭	カ 陰
イ 戯	キ 影
ウ 芋	ク 隠
エ 与	ケ 惑
オ 縁	コ 腕

4 熟語の構成のしかたには次のようなものがある。

ア 同じような意味の漢字を重ねたもの（例 岩石）
イ 反対または対応の意味を表す字を重ねたもの（例 高低）
ウ 上の字が下の字を修飾しているもの（例 洋画）
エ 下の字が上の字の目的語・補語になっているもの（例 着席）
オ 上の字が下の字の意味を打ち消しているもの（例 非常）

次の熟語はそのどれにあたるか、記号で記せ。（各2×10＝20点）

1 汚点（　　）
2 朗報（　　）
3 未熟（　　）
4 到達（　　）
5 配慮（　　）
6 栄枯（　　）
7 利害（　　）
8 首尾（　　）
9 遅刻（　　）
10 功罪（　　）

5 次の漢字の部首をア～エの中から選んで、○で囲め。（各1×10＝10点）

1 玄（ア 亠　イ 厶　ウ 玄　エ 幺）
2 斜（ア 人　イ 十　ウ 小　エ 斗）
3 箇（ア 十　イ 口　ウ ⺮　エ ノ）
4 彩（ア 爫　イ 木　ウ 彡　エ 釆）
5 疑（ア 疋　イ 矢　ウ 矛　エ 匕）
6 療（ア 广　イ 疒　ウ 小　エ 大）
7 戒（ア 廾　イ 弋　ウ 戈　エ 一）
8 戦（ア 田　イ 戈　ウ 十　エ ⺍）
9 畳（ア 一　イ 冖　ウ 田　エ 目）
10 疲（ア 又　イ 皮　ウ 广　エ 疒）

6 後の［　］の中の語を必ず一度使って漢字に直し、対義語・類義語を完成させよ。

（各2×10＝20点）

【対義語】

1 高雅―□俗（　　）
2 定期―□時（　　）
3 温和―凶□（　　）
4 不振―好□（　　）
5 例外―原□（　　）

【類義語】

6 地道―堅□（　　）
7 永眠―□界（　　）
8 使命―責□（　　）
9 近隣―周□（　　）
10 風刺―□肉（　　）

じつ・そく・た・ちょう・てい・ひ・へん・ぼう・む・りん

7 次の――線のカタカナを漢字一字と送りがな（ひらがな）に直せ。

（各2×5＝10点）

1 野菜でビタミンを**オギナウ**。（　　）
2 上京して役者を**ココロザス**。（　　）
3 台風はまもなく通り**スギル**。（　　）
4 部下を**シタガエ**て退職する。（　　）
5 親友とイギリスを**オトズレル**。（　　）

8 **次の——線のカタカナを漢字に直し、四字熟語を完成させよ。**

(各2×10＝20点)

1 青天<u>ハク</u>日の身となった。（　　）
2 七<u>ナン</u>八苦に耐え成功する。（　　）
3 <u>キ</u>想天外な戦略を思いついた。（　　）
4 両国は一触即<u>ハツ</u>の危機にある。（　　）
5 信賞<u>ヒツ</u>罰の人事を行った。（　　）
6 容<u>シ</u>端麗の女優を起用する。（　　）
7 同工<u>イ</u>曲の作品ばかりだ。（　　）
8 犯人グループを一網<u>ダ</u>尽にする。（　　）
9 教授の<u>ハク</u>覧強記に感服する。（　　）
10 <u>ロン</u>旨明快な説明をする。（　　）

9 **次の文中にまちがって使われている同じ音訓の漢字が一字ある。まちがっている漢字を上の(　)に、正しい漢字を下の(　)に記せ。**

(各2×5＝10点)

誤　正

1 決勝戦で確上の相手に反撃の余地すらあたえない圧巻の勝利だった。（　　）→（　　）
2 幹線道路で落石による広範囲の交通記制をしたため長い車列ができた。（　　）→（　　）
3 急速な経財発展に対して、貧富の差が拡大して大きな社会問題となる。（　　）→（　　）
4 運河沿いの桜が満回になり、花見の小舟が所狭しと浮かんでいる。（　　）→（　　）
5 海外制の安い電子部品を調達して、高性能なパソコンを生産する。（　　）→（　　）

10 **次の――線のカタカナを漢字に直せ。**（各2×20＝40点）

1 初日なので**コンザツ**していた。（　　）
2 友人と固い**アクシュ**を交わした。（　　）
3 新曲は若者の人気を**ドクセン**した。（　　）
4 **キュウシュウ**した養分で結実する。（　　）
5 イノシシが敵に**トッシン**する。（　　）
6 山野を**カイタク**して畑にする。（　　）
7 若くして**ヒボン**な才能を発揮する。（　　）
8 同じ**モヨウ**のカーテンを選んだ。（　　）
9 **シャソウ**から海が見えた。（　　）
10 正式文書に**ショメイ**する。（　　）

11 **ノウゼイ**者に番号をつける。（　　）
12 **ケシキ**のよい部屋を希望する。（　　）
13 結婚式で二人の**カドデ**を祝う。（　　）
14 思いも**ヨ**らない再会を果たす。（　　）
15 **キヌ**でできたハンカチを贈る。（　　）
16 服につけられた**ネフダ**を見る。（　　）
17 親友に**ウラギ**られて傷ついた。（　　）
18 火がまたたく間に**モ**え広がった。（　　）
19 街灯が周囲をぼんやり**テ**らす。（　　）
20 **ヨクバ**ってお菓子を食べすぎた。（　　）

第4回 模擬試験

標準解答 186ページ

180点以上 合格安全圏
160点以上 合格範囲内
159点以下 努力が必要

制限時間：60分

／200

※実際の試験形式と異なる場合があります。実力チェック用としてお使いください。

1 次の――線の読みをひらがなで記せ。（各1×30＝30点）

1 **賞与**でパソコンを買いかえる。（　）
2 年始に一年の**抱負**を述べる。（　）
3 あたりに**偉容**をほこっている。（　）
4 現場の**惨状**にいきどおる。（　）
5 **完膚**なきまでに打ちのめされる。（　）
6 規則が**箇条**書きされている。（　）
7 政界に**隠然**たる力を持つ。（　）
8 成績の良い選手を**選抜**する。（　）
9 目先の利益にとらわれ**短慮**に走る。（　）
10 河原にススキが**繁茂**する。（　）
11 **奇抜**なアイデアで成功した。（　）
12 **迫力**のある映像が完成した。（　）
13 長年住んだ自宅を**売却**する。（　）
14 我が社の**汚点**ともいえる事件だ。（　）
15 ビルの**壁面**に絵をかく。（　）
16 勝利の**祝杯**をあげる。（　）
17 世界を**驚嘆**させる事件が起きた。（　）
18 ころんだ**拍子**に腰を痛めた。（　）
19 来月から新商品が**市販**される。（　）
20 衣服の**胴**回りを採寸する。（　）
21 思いの**丈**をさけんだ。（　）
22 **稲刈**りの季節がやってきた。（　）
23 しめ切りが近いので**忙**しい。（　）
24 ヨットで大**海原**に乗り出す。（　）
25 各種商品券を**扱**っている。（　）
26 アイスクリームが**溶**けた。（　）
27 **敷物**の上に商品を並べる。（　）
28 友との再会に胸が**躍**る。（　）
29 辞書を**繰**って言葉を探す。（　）
30 **腕**のいい大工をやとう。（　）

2 次の——線のカタカナにあてはまる漢字をそれぞれア～オから選び、記号で記せ。（各2×15＝30点）

1 市場の独センは禁止されている。（　）
2 セン度の良い魚を市場で仕入れる。（　）
3 セン門は経済学だ。（　）

（ア占　イ宣　ウ選　エ専　オ鮮）

4 実力に太コ判を押す。（　）
5 コ大広告にだまされて買う。（　）
6 国境をコえて難民が押し寄せる。（　）

（ア鼓　イ越　ウ込　エ肥　オ誇）

7 犯人の声紋と一チした。（　）
8 工事がチ延している。（　）
9 一読の価チがある歴史書だ。（　）

（ア治　イ遅　ウ値　エ知　オ致）

10 破天コウな人生を送った俳優だ。（　）
11 入試要コウに試験科目を記載する。（　）
12 詩を新聞に投コウする。（　）

（ア恒　イ香　ウ項　エ稿　オ荒）

13 人事をツくして天命を待つ。（　）
14 出世して重役の地位にツいた。（　）
15 先代からの味を受けツいだ。（　）

（ア突　イ積　ウ尽　エ就　オ継）

3 三つの□に共通する漢字を［　］の中から選んで熟語を作り、記号で答えよ。（各2×5＝10点）

1 店□・□装・老□（　）
2 □角・□発・接□（　）
3 志□・本□・□郷（　）
4 油□・□肪・□汗（　）
5 含□・□無・□頂天（　）

ア 鉛	イ 越	ウ 舗	エ 有	オ 脂
カ 望	キ 援	ク 煙	ケ 触	コ 縁

4 熟語の構成のしかたには次のようなものがある。

ア 同じような意味の漢字を重ねたもの（例 岩石）
イ 反対または対応の意味を表す字を重ねたもの（例 高低）
ウ 上の字が下の字を修飾しているもの（例 洋画）
エ 下の字が上の字の目的語・補語になっているもの（例 着席）
オ 上の字が下の字の意味を打ち消しているもの（例 非常）

次の熟語はそのどれにあたるか、記号で記せ。（各2×10＝20点）

1 干満（　　）
2 遊戯（　　）
3 即決（　　）
4 師弟（　　）
5 無恥（　　）
6 迎春（　　）
7 違反（　　）
8 戦闘（　　）
9 攻守（　　）
10 濃霧（　　）

5 次の漢字の部首をア～エの中から選んで、○で囲め。（各1×10＝10点）

1 影（ア日　イ小　ウノ　エ彡）
2 雌（ア匕　イ隹　ウ比　エ止）
3 敏（ア母　イ又　ウノ　エ攵）
4 舟（ア舟　イ丶　ウ一　エ冂）
5 罰（ア言　イ刂　ウ罒　エ口）
6 劣（ア力　イ小　ウノ　エ八）
7 露（ア夂　イ雨　ウ口　エ⻊）
8 輩（ア日　イ車　ウ非　エ一）
9 術（ア十　イ行　ウ小　エ彳）
10 暦（ア厂　イ木　ウ一　エ日）

6 後の□の中の語を必ず一度使って漢字に直し、対義語・類義語を完成させよ。（各2×10＝20点）

【対義語】

1 親切—冷□（　　）
2 在宅—□守（　　）
3 軽率—□重（　　）
4 加盟—脱□（　　）
5 正統—□端（　　）

【類義語】

6 名誉—□光（　　）
7 熱狂—興□（　　）
8 改定—□更（　　）
9 入手—獲□（　　）
10 親類—□者（　　）

い・えい・えん・しん・たい・たん・とく・ふん・へん・る

---

7 次の——線のカタカナを漢字一字と送りがな（ひらがな）に直せ。（各2×5＝10点）

1 大小様々な山が<u>ツラナル</u>。（　　）
2 やけどした皮膚が赤みを<u>オビル</u>。（　　）
3 銀行の経営が<u>アヤブマ</u>れる。（　　）
4 生活習慣を<u>アラタメル</u>。（　　）
5 動物の世話を姉に<u>マカセル</u>。（　　）

8 **次の——線のカタカナを漢字に直し、四字熟語を完成させよ。**

（各2×10＝20点）

1 無味**カン**燥でつまらないドラマだ。（　　）
2 美辞麗**ク**を並べて売り込む。（　　）
3 **サイ**色兼備の女性をうらやむ。（　　）
4 優**ジュウ**不断な性格をなおす。（　　）
5 彼ほど意志堅**ゴ**な人を知らない。（　　）
6 真**ケン**勝負をいどんだ。（　　）
7 **イン**果応報で悪事は返ってくる。（　　）
8 他人の考えに付和雷**ドウ**する。（　　）
9 彼女の言葉は意味深**チョウ**だ。（　　）
10 彼女は新進気**エイ**の画家だ。（　　）

9 **次の文中にまちがって使われている同じ音訓の漢字が一字ある。まちがっている漢字を上の（　）に、正しい漢字を下の（　）に記せ。**

（各2×5＝10点）

誤　正

1 不測の事帯に備えて、特別に訓練を受けた消防隊を各地に配備する。（　）→（　）
2 隣国との関係が急速に悪化して、余断を許さぬ情勢が続いている。（　）→（　）
3 原材料の運搬を容易にするため、海に添って製鉄工場が建ち並ぶ。（　）→（　）
4 価格競争が撃化して各社は更なる経費節減を余儀なくされている。（　）→（　）
5 大規模な噴火により、観光修入が減って旅館の倒産が相次いだ。（　）→（　）

10 次の——線のカタカナを漢字に直せ。（各2×20＝40点）

1 国名の**ユライ**は神話にある。（　）
2 父兄の**フタン**を軽くする。（　）
3 **ザイサン**を生前に分割する。（　）
4 **ゼツミョウ**な塩加減だ。（　）
5 **ケイダイ**で子どもが遊んでいる。（　）
6 わずか五才で初**ブタイ**に立つ。（　）
7 **ケッパク**を証明する手段がない。（　）
8 今日は音楽室で**ガッソウ**する。（　）
9 **ソンケイ**する人は父だ。（　）
10 石油の**ユソウ**には神経を使う。（　）

11 実力を**ハッキ**する機会だ。（　）
12 紅茶には**サトウ**は入れない。（　）
13 アメリカに**ワタ**って研究する。（　）
14 公園でどんぐりを**ヒロ**った。（　）
15 予算不足で計画が宙に**ウ**いた。（　）
16 弟子に秘伝の技を**サズ**ける。（　）
17 式典を**オゴソ**かに執り行う。（　）
18 **コマ**っている人に声をかける。（　）
19 部活動が**サカ**んな高校に進学する。（　）
20 時間がないので説明を**ハブ**いた。（　）

第5回 模擬試験

標準解答 188ページ

※実際の試験形式と異なる場合があります。実力チェック用としてお使いください。

160点以上 合格安全圏
140点以上 合格範囲内
139点以下 努力が必要

制限時間：60分

／200

1 次の――線の読みをひらがなで記せ。（各1×30＝30点）

1 **生鮮**食品の価格が乱高下する。（　　）
2 国際経済の変動が国内に**波及**する。（　　）
3 組織内の**腐敗**が暴露された。（　　）
4 強い日差しで**皮膚**がはれた。（　　）
5 世界の恒久平和を**祈念**する。（　　）
6 目標達成に向けて**躍起**になる。（　　）
7 多種多様な意見に**配慮**する。（　　）
8 発言内容が前後で**矛盾**している。（　　）
9 新聞の記事を許可を得て**転載**する。（　　）
10 **名誉**ある公職の地位に就く。（　　）
11 日本列島を**猛烈**な台風が襲った。（　　）
12 世界各地を巡る**冒険**旅行に出た。（　　）
13 強い**余震**が立て続けに起きた。（　　）
14 **天井**に火災報知器を設置する。（　　）
15 安全第一の原則を**堅持**する。（　　）
16 相手の提案内容を一部**是認**した。（　　）
17 対話はしばらく**沈黙**が続いた。（　　）
18 子どもたちが**縁日**を楽しんでいる。（　　）
19 届出書類に証明書を**添付**する。（　　）
20 経験豊富な外科医が**執刀**する。（　　）
21 化学工場で**爆発**事故が起きた。（　　）
22 担当者が**交替**で休息を取る。（　　）
23 早朝に**身支度**を整えて出発する。（　　）
24 さりげない**気遣**いが心に響いた。（　　）
25 **寝坊**して早朝の会議に遅れた。（　　）
26 つらい出来事に**涙**が止まらない。（　　）
27 遠く離れた故郷が**恋**しくなる。（　　）
28 帰宅する妻を駅まで**迎**えに行く。（　　）
29 風に乗って桜の花びらが**舞**う。（　　）
30 安全確認に十分な注意を**払**う。（　　）

2 次の——線のカタカナにあてはまる漢字をそれぞれア～オから選び、記号で記せ。（各2×15＝30点）

1 球児たちが熱**トウ**を繰り広げた。（　）
2 つらくなって現実から**トウ**避する。（　）
3 まるで**トウ**源郷にいるようだ。（　）
（ア逃　イ桃　ウ盗　エ闘　オ糖）

4 一点差を死**シュ**して勝利した。（　）
5 運営方針の**シュ**旨を説明する。（　）
6 印鑑に**シュ**肉をつけて書類に押す。（　）
（ア取　イ狩　ウ朱　エ趣　オ守）

7 部下に向けて訓**カイ**を垂れる。（　）
8 **カイ**晴の空の下で遠足を楽しむ。（　）
9 大雨で堤防の一部が破**カイ**された。（　）
（ア戒　イ快　ウ介　エ壊　オ皆）

10 父親に**カタ**車をされて喜んでいる。（　）
11 乳児から**カタ**時も目が離せない。（　）
12 土砂が家を跡**カタ**もなく破壊した。（　）
（ア型　イ堅　ウ片　エ肩　オ形）

13 使用方法が詳細に**キ**載されている。（　）
14 光**キ**ある伝統芸能を受け継ぐ。（　）
15 社会の連帯感が**キ**薄になっている。（　）
（ア希　イ輝　ウ奇　エ机　オ記）

3 三つの□に共通する漢字を［　］の中から選んで熟語を作り、記号で答えよ。（各2×5＝10点）

1 優□・□勢・□等感（　）
2 □楽・□秘・至□（　）
3 天□・厳□・賞□（　）
4 用□・□方・帰□（　）
5 □視・□業・□礼（　）

ア 途	カ 攻
イ 煙	キ 罰
ウ 極	ク 枯
エ 影	ケ 劣
オ 巡	コ 沢

4 熟語の構成のしかたには次のようなものがある。

ア 同じような意味の漢字を重ねたもの（例 岩石）
イ 反対または対応の意味を表す字を重ねたもの（例 高低）
ウ 上の字が下の字を修飾しているもの（例 洋画）
エ 下の字が上の字の目的語・補語になっているもの（例 着席）
オ 上の字が下の字の意味を打ち消しているもの（例 非常）

次の熟語はそのどれにあたるか、記号で記せ。（各2×10＝20点）

1 不順（　　）
2 取捨（　　）
3 挙手（　　）
4 甘言（　　）
5 予測（　　）
6 捕球（　　）
7 乾燥（　　）
8 波紋（　　）
9 汚濁（　　）
10 去就（　　）

5 次の漢字の部首をア〜エの中から選んで、○で囲め。（各1×10＝10点）

1 賃（ア 士　イ 貝　ウ 亻　エ 目）
2 香（ア 木　イ 禾　ウ 日　エ 香）
3 吹（ア 人　イ ノ　ウ ㅁ　エ 欠）
4 奇（ア 口　イ 一　ウ 大　エ 亅）
5 豪（ア 冖　イ 豕　ウ 口　エ 亠）
6 属（ア 尸　イ 虫　ウ 一　エ 口）
7 雄（ア 隹　イ 一　ウ ノ　エ ム）
8 敬（ア 攵　イ 口　ウ 艹　エ 勹）
9 郷（ア 幺　イ 日　ウ 阝　エ 艮）
10 陣（ア 阝　イ 車　ウ 日　エ 十）

6 後の［　］の中の語を必ず一度使って漢字に直し、対義語・類義語を完成させよ。（各2×10＝20点）

【対義語】

1 離脱—□加（　）
2 年頭—歳□（　）
3 野党—□党（　）
4 納入—□収（　）
5 却下—受□（　）

【類義語】

6 早速—即□（　）
7 道端—□傍（　）
8 興奮—□狂（　）
9 形見—□品（　）
10 根底—□盤（　）

い・き・こく・さん・ちょう・ねっ・まつ・よ・り・ろ

7 次の——線のカタカナを漢字一字と送りがな（ひらがな）に直せ。（各2×5＝10点）

1 巨大な自然の力には<u>サカラ</u>えない。（　）
2 基本的な知識が<u>カケテ</u>いる。（　）
3 情報の正確性が<u>ウタガワシイ</u>。（　）
4 <u>ヤサシイ</u>問題をうっかり間違える。（　）
5 <u>キヨラカナ</u>らかなわき水が流れる。（　）

8 次の——線のカタカナを漢字に直し、四字熟語を完成させよ。

（各2×10＝20点）

1 会社の上役に面従フク背する。（　　）
2 ハク志弱行で成功体験がない。（　　）
3 行ウン流水の生活を楽しむ。（　　）
4 外交辞レイを真に受ける。（　　）
5 急テン直下、話し合いは決着した。（　　）
6 適者生ゾンの世界にいどむ。（　　）
7 帰りを一日千シュウの思いで待つ。（　　）
8 論争を一トウ両断で収めた。（　　）
9 名ジツ一体の偉業を成しとげた。（　　）
10 気長に好機トウ来を待った。（　　）

9 次の文中にまちがって使われている同じ音訓の漢字が一字ある。まちがっている漢字を上の（　）に、正しい漢字を下の（　）に記せ。

（各2×5＝10点）

		誤		正
1	最新の測定器は誤査範囲が極めて小さく製品の品質向上に寄与している。	（　　）	→	（　　）
2	有機肥量の使用と適切な温度管理により糖度が高い果物が成熟した。	（　　）	→	（　　）
3	大統領の演説は同時通約され世界の報道機関に直ちに発信された。	（　　）	→	（　　）
4	生態系を守るために外来種の鳥類を動物園で仕育することにした。	（　　）	→	（　　）
5	大腸を手術した後の回復が思いの外順長で家族や執刀医を驚かせた。	（　　）	→	（　　）

10 次の——線のカタカナを漢字に直せ。（各2×20＝40点）

1 他人の意見に**カビン**に反発する。（　　）
2 新しい**マンガ**の発売日を待ち望む。（　　）
3 美しい**カイヒン**が続いている。（　　）
4 転倒**ボウシ**の手すりを設置する。（　　）
5 留学で国際的な**シヤ**が広がった。（　　）
6 建物内の空調設備が**コショウ**する。（　　）
7 おみくじで**キョウ**を引く。（　　）
8 **ノウム**のため交通機関が乱れる。（　　）
9 光熱費の**セツヤク**に取り組む。（　　）
10 朝の体操を**シュウカン**にする。（　　）

11 事故の**ヨウイン**を詳細に調査する。（　　）
12 改革案に激しく**テイコウ**する。（　　）
13 日々の**キンベン**な努力が報われた。（　　）
14 倉庫に**コメダワラ**を保管する。（　　）
15 **クモ**りの天気が続いている。（　　）
16 **ノキシタ**にツバメが巣を作る。（　　）
17 警官に病院までの道を**タズ**ねた。（　　）
18 **ムラサキ**色の花が庭に咲いている。（　　）
19 治療したばかりの**オクバ**が痛む。（　　）
20 **カゲグチ**が聞こえて気分を害する。（　　）

第1回 模擬試験 標準解答

1 読み
各1点（30）

1 ひがん
2 せいじゃく
3 ほこさき
4 みゃくらく
5 きこう
6 ひってき
7 わんしょう
8 もくそう
9 きんきょう
10 さくい
11 かいきん
12 ひさん
13 とこう
14 ぼうせん
15 みんぞく
16 かんたく
17 せいぎょ
18 いぎ
19 ようし
20 そうい
21 ふち
22 さび
23 いく
24 ひた
25 ほこ
26 にご
27 まど
28 かたむ
29 ふ
30 しずく

2 同音・同訓異字
各2点（30）

1 ウ 不
2 エ 触
3 イ 腐
4 ウ 謡
5 イ 溶
6 オ 踊
7 ウ 載
8 エ 歳
9 ア 彩
10 エ 堅
11 イ 圏
12 ウ 兼
13 イ 添
14 エ 反
15 ア 染

3 漢字識別
各2点（10）

1 ウ 避暑・逃避・避難
2 オ 紋章・指紋・家紋
3 カ 夜露・雨露・露骨
4 ク 執念・固執・執着
5 キ 瞬間・一瞬・瞬発力

4 熟語の構成
各2点（20）

1 オ
2 ウ
3 ア
4 イ
5 イ
6 イ
7 エ
8 イ
9 ア
10 エ

5 部首
各1点（10）

1 ア 殳
2 ウ 頁
3 ウ 戸
4 エ 行
5 イ 大
6 ア 士
7 イ 木
8 エ 門
9 イ 羽
10 ア 行

6 対義語・類義語 各2点(20)

1 密 濃密
2 貯 貯蓄
3 略 簡略
4 鳴 悲鳴
5 停 停泊
6 角 互角
7 類 親類
8 夫 丈夫
9 根 根拠
10 弁 弁解

7 送りがな 各2点(10)

1 優れ
2 散らかし
3 輝い
4 驚い
5 汚い

8 四字熟語 各2点(20)

1 寒 頭寒足熱
2 里 五里霧中
3 旧 名所旧跡
4 馬 牛飲馬食
5 豊 豊年満作
6 率 率先垂範
7 歴 故事来歴
8 災 天災地変
9 転 起承転結
10 吐 青息吐息

9 誤字訂正 各2点(10)

1 保→補
2 特→得
3 快→改
4 賛→参
5 試→指

10 書き取り 各2点(40)

1 突入
2 砂丘
3 多忙
4 熱烈
5 販売
6 検討
7 鮮度
8 起床
9 巨大
10 玄米
11 香水
12 比較
13 扱
14 頼
15 注
16 捕
17 恥
18 汗
19 勇
20 荒

第2回 模擬試験 標準解答

1 読み（各1点(30)）

1 くじょ
2 おだく
3 しゅうねん
4 びさい
5 かいほう
6 もうはつ
7 びんわん
8 しせき
9 よか
10 ひやく
11 もめん
12 ぼうさつ
13 けいしゃ
14 きがん
15 こうりょう
16 ぞうふく
17 もくさつ
18 かんるい
19 でんどう
20 きょうさく
21 にぶ
22 め
23 さら
24 あお
25 しばい
26 たくわ
27 こづか
28 つ
29 ねいき
30 そむ

2 同音・同訓異字（各2点(30)）

1 ア 透
2 オ 踏
3 エ 唐
4 エ 朽
5 オ 丘
6 ウ 及
7 オ 慎
8 イ 侵
9 ウ 振
10 エ 鑑
11 ア 監
12 ウ 勧
13 ウ 恥
14 エ 跳
15 イ 果

3 漢字識別（各2点(10)）

1 カ 記載・満載・連載
2 ウ 違憲・違反・違約
3 ケ 規範・模範・範囲
4 キ 猛烈・烈火・烈風
5 コ 迷惑・迷路・迷子

4 熟語の構成（各2点(20)）

1 エ
2 ウ
3 イ
4 イ
5 イ
6 オ
7 ウ
8 イ
9 ア
10 エ

5 部首（各1点(10)）

1 イ 鬼
2 エ 目
3 ウ 隶
4 ア 立
5 ウ 走
6 ウ 木
7 ア 囗
8 エ 广
9 ウ 土
10 イ 止

6 対義語・類義語　各2点(20)

1 閉鎖
2 永眠
3 借用
4 継続
5 末尾
6 富豪
7 応援
8 独占
9 真剣
10 努力

7 送りがな　各2点(10)

1 供える
2 満ちる
3 悩ましい
4 設ける
5 浴びる

8 四字熟語　各2点(20)

1 縦横無尽
2 狂喜乱舞
3 金科玉条
4 時節到来
5 老成円熟
6 絶体絶命
7 現状維持
8 旧態依然
9 半信半疑
10 有為転変

9 誤字訂正　各2点(10)

1 典→展
2 当→討
3 速→測
4 制→整
5 捕→保

10 書き取り　各2点(40)

1 光沢
2 先輩
3 遅刻
4 平凡
5 信頼
6 新鮮
7 水滴
8 握力
9 雷雨
10 恋愛
11 丈夫
12 一般
13 乾
14 編
15 注
16 抜
17 狭
18 疲
19 放
20 恵

第3回 模擬試験 標準解答

1 読み

各1点(30)

1 うか
2 ふうが
3 りゅうし
4 はんにゅう
5 きじょう
6 けんきゃく
7 かんだん
8 しんとう
9 きょくたん
10 かんたん
11 こぶ
12 いんきょ
13 ないじゅ
14 ていしょく
15 へいさ
16 しゅうしん
17 てんぷ
18 かんしゅう
19 ろうきゅう
20 のうしゅく
21 つか
22 けむ
23 めす
24 し
25 あらなみ
26 つつし
27 しげ
28 しばふ
29 あとかた
30 は

2 同音・同訓異字

各2点(30)

1 ウ 甘
2 イ 汗
3 オ 看
4 オ 為
5 エ 維
6 ア 違
7 エ 傍
8 イ 冒
9 ウ 帽
10 ウ 騒
11 ア 燥
12 エ 操
13 イ 執
14 オ 吐
15 エ 泊

3 漢字識別

各2点(10)

1 エ 与党・関与・給与
2 イ 遊戯・戯曲・戯画
3 ケ 惑星・思惑・困惑
4 コ 豪腕・腕力・敏腕
5 オ 縁談・縁側・額縁

4 熟語の構成

各2点(20)

1 ウ
2 ウ
3 オ
4 ア
5 エ
6 イ
7 イ
8 イ
9 エ
10 イ

5 部首

各1点(10)

1 ウ 玄
2 エ 斗
3 ウ ⺮
4 ウ 彡
5 ア 𧾷
6 イ 疒
7 ウ 戈
8 イ 戈
9 ウ 田
10 エ 疒

6 対義語・類義語

1 低（低俗）
2 臨（臨時）
3 暴（凶暴）
4 調（好調）
5 則（原則）
6 実（堅実）
7 他（他界）
8 務（責務）
9 辺（周辺）
10 皮（皮肉）

各2点（20）

7 送りがな

1 補う
2 志す
3 過ぎる
4 従え
5 訪れる

各2点（10）

8 四字熟語

1 白（青天白日）
2 難（七難八苦）
3 奇（奇想天外）
4 発（一触即発）
5 必（信賞必罰）
6 姿（容姿端麗）
7 異（同工異曲）
8 打（一網打尽）
9 博（博覧強記）
10 論（論旨明快）

各2点（20）

9 誤字訂正

1 確→格
2 記→規
3 財→済
4 回→開
5 制→製

各2点（10）

10 書き取り

1 混雑
2 握手
3 独占
4 吸収
5 突進
6 開拓
7 非凡
8 模様
9 車窓
10 署名
11 納税
12 景色
13 門出
14 寄
15 絹
16 値札
17 裏切
18 燃
19 照
20 欲張

各2点（40）

第4回 模擬試験 標準解答

1 読み

各1点（30）

1 しょうよ
2 ほうふ
3 いよう
4 さんじょう
5 かんぷ
6 かじょう
7 いんぜん
8 せんばつ
9 たんりょ
10 はんも
11 きばつ
12 はくりょく
13 ばいきゃく
14 おてん
15 へきめん
16 しゅくはい
17 きょうたん
18 ひょうし
19 しはん
20 どう
21 たけ
22 いねか
23 いそが
24 うなばら
25 あつか
26 と
27 しきもの
28 おど
29 く
30 うで

2 同音・同訓異字

各2点（30）

1 ア 占
2 オ 鮮
3 エ 専
4 ア 鼓
5 オ 誇
6 イ 越
7 オ 致
8 イ 遅
9 ウ 値
10 オ 荒
11 ウ 項
12 エ 稿
13 ウ 尽
14 エ 就
15 オ 継

3 漢字識別

各2点（10）

1 ウ 店舗・舗装・老舗
2 ケ 触覚・触発・接触
3 カ 志望・本望・望郷
4 オ 油脂・脂肪・脂汗
5 エ 含有・有無・有頂天

4 熟語の構成

各2点（20）

1 イ
2 ア
3 ウ
4 イ
5 オ
6 エ
7 ア
8 ア
9 イ
10 ウ

5 部首

各1点（10）

1 エ 彡
2 イ 隹
3 エ 攵
4 ア 舟
5 ウ 罒
6 ア 力
7 イ 雨
8 イ 車
9 イ 行
10 エ 日

6 対義語・類義語
各2点(20)

1 淡（冷淡）
2 留（留守）
3 慎（慎重）
4 退（脱退）
5 異（異端）
6 栄（栄光）
7 奮（興奮）
8 変（変更）
9 得（獲得）
10 縁（縁者）

7 送りがな
各2点(10)

1 連なる
2 帯びる
3 危ぶまる
4 改める
5 任せる

8 四字熟語
各2点(20)

1 乾（無味乾燥）
2 句（美辞麗句）
3 才（才色兼備）
4 柔（優柔不断）
5 固（意思堅固）
6 剣（真剣勝負）
7 因（因果応報）
8 同（付和雷同）
9 長（意味深長）
10 鋭（新進気鋭）

9 誤字訂正
各2点(10)

1 帯→態
2 余→予
3 添→沿
4 撃→激
5 修→収

10 書き取り
各2点(40)

1 由来
2 負担
3 財産
4 絶妙
5 境内
6 舞台
7 潔白
8 合奏
9 尊敬
10 輸送
11 発揮
12 砂糖
13 渡
14 拾
15 浮
16 授
17 厳
18 困
19 盛
20 省

第5回 模擬試験 標準解答

1 読み

各1点(30)

1 せいせん
2 はきゅう
3 ふはい
4 ひふ
5 きねん
6 やっき
7 はいりょ
8 むじゅん
9 てんさい
10 めいよ
11 もうれつ
12 ぼうけん
13 よしん
14 てんじょう
15 けんじ
16 ぜにん
17 ちんもく
18 えんにち
19 てんぷ
20 しっとう
21 ばくはつ
22 こうたい
23 みじたく
24 きづか
25 ねぼう
26 なみだ
27 こい
28 むか
29 ま
30 はら

2 同音・同訓異字

各2点(30)

1 エ 闘
2 ア 逃
3 イ 桃
4 オ 守
5 エ 趣
6 ウ 朱
7 ア 戒
8 イ 快
9 エ 壊
10 エ 肩
11 ウ 片
12 オ 形
13 オ 記
14 イ 輝
15 ア 希

3 漢字識別

各2点(10)

1 ケ 優劣・劣勢・劣等感
2 ウ 極楽・極秘・至極
3 キ 天罰・厳罰・賞罰
4 ア 用途・途方・帰途
5 オ 巡視・巡業・巡礼

4 熟語の構成

各2点(20)

1 オ
2 イ
3 エ
4 ウ
5 ウ
6 エ
7 ア
8 ウ
9 ア
10 イ

5 部首

各1点(10)

1 イ 貝
2 エ 香
3 ウ 口
4 ウ 大
5 イ 豕
6 ア 尸
7 ア 隹
8 ア 攵
9 ウ 阝
10 ア 阝

6 対義語・類義語

各2点（20）

1 参 参加
2 末 歳末
3 与 与党
4 徴 徴収
5 理 受理
6 刻 即刻
7 路 路傍
8 熱 熱狂
9 遺 遺品
10 基 基盤

7 送りがな

各2点（10）

1 逆ら
2 欠ける
3 疑わしい
4 易しい
5 清らかな

8 四字熟語

各2点（20）

1 腹 面従腹背
2 薄 薄志弱行
3 雲 行雲流水
4 令 外交辞令
5 転 急転直下
6 存 適者生存
7 秋 一日千秋
8 刀 一刀両断
9 実 名実一体
10 到 好機到来

9 誤字訂正

各2点（10）

1 査→差
2 量→料
3 約→訳
4 仕→飼
5 長→調

10 書き取り

各2点（40）

1 過敏
2 漫画
3 海浜
4 防止
5 視野
6 故障
7 凶
8 濃霧
9 節約
10 習慣
11 要因
12 抵抗
13 勤勉
14 米俵
15 曇
16 軒下
17 尋
18 紫
19 奥歯
20 陰口

4級新出配当漢字一覧

配当漢字を部首ごとにまとめ、過去に出題された用例を頻出順にのせています。
色がついている漢字は、試験によく出る漢字です。

部首	漢字	頻出用例
一	丘	砂丘・丘
	丈	丈夫・丈・背丈・気丈
	与	与える・与党・関与・賞与・授与・給与
丶	丹	丹念・丹精
乙	**乾**	乾く・乾燥・乾杯・乾季・乾電池
二	互	互角・互い・交互・相互・互助・互恵
亻	依	依然・依頼・依存・依拠・依願
	偉	偉い・偉業・偉容・偉人・偉大
	儀	行儀・流儀・儀礼・威儀・難儀・儀式
	仰	仰ぐ・仰天・信仰
	傾	傾く・傾斜・傾向・前傾
	伺	伺う
	侵	侵す・侵害・侵入・侵略・侵犯・侵食
	僧	老僧・僧・僧衣
	俗	低俗・民俗・雅俗・風俗・俗説・俗悪
	倒	倒れる・転倒・倒壊・圧倒・倒立・倒産
	傍	路傍・傍線・傍観・傍受
人	介	介入・介護・介抱・紹介・魚介・介助
八	兼	兼務・兼任・兼用・兼ねる
几	凡	平凡・非凡・凡人
凵	凶	凶作・凶暴・凶弾・凶器
刂	刈	刈る・稲刈り
	剣	真剣・剣豪・剣道
	剤	薬剤・洗剤
	刺	刺す・風刺・刺激・名刺
	到	到達・到底・周到・到着・未到・殺到
力	勧	勧める・勧告
	劣	優劣・劣る・劣悪・劣等・劣勢・見劣り
匸	匹	匹敵・一匹
卜	占	独占・占める・占拠・占領・占有・占星術
卩	却	退却・却下・冷却・返却・売却・脱却
	即	即答・即決・即応・即席・即刻・即座
又	**及**	及ぶ・普及・言及・波及・追及・及第

部首	漢字	頻出用例
口（くち）	含	含む・含有・含蓄
	召	召す・召集
	唐	唐突・遣唐使
口（くちへん）	叫	叫ぶ・絶叫
	咲	遅咲き・咲く
	吹	吹く・吹奏・吹奏楽・紙吹雪・霧吹き・鼓吹
	嘆	嘆く・悲嘆・感嘆・驚嘆・嘆息
	吐	吐露・吐く・吐息
	噴	噴く・噴火・噴出・噴水・噴射・噴煙
囗（くにがまえ）	圏	圏内・圏外・首都圏・大気圏・安全圏
土（つち）	堅	堅実・堅持・堅固・堅い・中堅
	執	執念・執筆・執刀・執る・執行・固執
	壁	壁画・鉄壁・壁面・絶壁・岸壁・城壁
土（つちへん）	壊	壊す・破壊・倒壊・決壊・損壊
	堤	堤・突堤・堤防
	塔	塔・鉄塔・金字塔・管制塔
	坊	寝坊・甘えん坊
士（さむらい）	壱	
大（だい）	奥	奥・奥歯・奥底・山奥・奥地
	奇	奇抜・奇跡・好奇心・奇妙・珍奇・奇襲
女（おんな）	威	猛威・威厳・威儀・威勢・権威・威圧
女（おんなへん）	婚	未婚・求婚・婚礼・婚約・結婚・離婚
	姓	旧姓・同姓
	奴	奴隷
	妙	妙技・妙案・絶妙・珍妙・神妙・微妙
	娘	娘
宀（うかんむり）	寂	寂しい・静寂
	寝	就寝・寝息・寝食・寝る・寝台・寝坊
寸（すん）	尋	尋常・尋問・尋ねる
尸（かばね・しかばね）	屈	屈指・不屈・退屈・屈折・理屈・屈服
	尽	尽くす・尽力・無尽・無尽蔵・理不尽
	尾	首尾・末尾・尾・尾根・尾翼・語尾
山（やまへん）	峠	峠

部首	漢字	頻出用例
	峰	峰・連峰・最高峰・秀峰・主峰
巛（かわ）	巡	巡回・巡る・巡業・巡視・巡礼
工（たくみ・え）	巨	巨大・巨体・巨木・巨額・巨万・巨頭
巾（はばへん・きんべん）	幅	拡幅・増幅・歩幅・幅広い・大幅・肩幅
	帽	脱帽・帽子
幺（いとがしら・よう）	幾	幾ら・幾多・幾分
广（まだれ）	床	起床・病床・床・寝床・床下・床板
弋（しきがまえ）	弐	
弓（ゆみへん）	弾	弾力・弾む・弾圧・爆弾・被弾・弾丸
彡（さんづくり）	影	投影・影響・人影・陰影・影絵・月影
	彩	多彩・色彩・異彩・水彩画・彩色・精彩

部首	漢字	頻出用例
彳（ぎょうにんべん）	御	防御・制御・御殿・御中
	征	遠征・征服・出征
	微	微細・微妙・機微・微生物・微力・微量
	彼	彼岸・彼・彼女
	徴	象徴・徴収・徴候・特徴
心（こころ）	恐	恐れる・恐怖・恐縮
	恵	恩恵・恵む・知恵・天恵
	恥	恥じる・無恥・恥部・恥
	怒	激怒・怒号・怒り・喜怒・怒気・怒声
	慮	思慮・配慮・短慮・苦慮・考慮・熟慮
	恋	恋しい・悲恋・恋愛・恋人・失恋・初恋

部首	漢字	頻出用例
	惑	困惑・惑う・不惑・疑惑・当惑・戸惑う
忄（りっしんべん）	憶	追憶・憶測・記憶
	恒	恒久・恒例・恒星・恒常
	惨	悲惨・惨状・惨劇・陰惨・惨事
	慎	慎重・慎む
	悩	悩む・苦悩
	怖	怖い・恐怖
	忙	忙殺・繁忙・多忙・忙しい
	慢	高慢・自慢・慢心・慢性
戈（ほこづくり・ほこがまえ）	戒	警戒・戒める・訓戒・戒律・厳戒・戒告
	戯	遊戯・戯曲・戯画

部首	漢字	頻出用例
戸（とだれ・とかんむり）	扇	扇子・扇風機・扇状地 扇
手（て）	撃	目撃・砲撃・一撃 反撃・撃退・撃つ
扌（てへん）	握	握力・握手・握る
	扱	扱う
	援	応援・救援・援助 声援・支援・後援
	押	押す・後押し
	拠	根拠・拠点・証拠 占拠・準拠・論拠
	掘	掘る・盗掘・採掘 芋掘り・発掘
	抗	反抗・対抗・抵抗 抗議・抗争
	振	不振・振る・振興 羽振り・振動・振幅
	拓	開拓・干拓
	抵	抵抗・抵触・並大抵
	摘	摘む・指摘・摘発 摘出・摘要
	拍	拍手・拍車・拍子 脈拍・手拍子・突拍子
	抜	抜群・奇抜・選抜 抜歯・抜く・海抜
	搬	運搬・搬送・搬入 搬出
	描	描く・描写・描く
	払	出払う・払う 前払い
	捕	捕まえる・捕獲・捕球 捕る・捕手
	抱	抱える・抱負・介抱 抱く
攵（のぶん・ぼくづくり）	攻	攻防・攻守・猛攻 専攻・攻略・攻める
	敏	鋭敏・敏速・過敏 敏腕・機敏・敏感
	敷	敷く・敷物・屋敷
斗（とます）	斜	傾斜・斜面・斜線 斜め・斜陽
日（ひ）	旨	要旨・趣旨・論旨 主旨
	旬	中旬・下旬・上旬 初旬
	是	是非・是認・是正
	曇	曇天・曇る
	普	普及・普通
	暦	暦・旧暦・西暦
日（ひへん）	暇	休暇・余暇・寸暇 暇
曰（ひらび・いわく）	更	更に・更衣・変更 更新
	替	替える・交替・両替 為替

部首	漢字	頻出用例
	冒	冒頭・冒険・冒す
木（き）	朱	朱・朱肉・朱色
	柔	柔和・柔道・柔弱
木（きへん）	朽	朽ちる・不朽・老朽
	枯	枯れる・栄枯・木枯らし 枯死
	桃	桃源郷・桃・桃色
	杯	乾杯・祝杯・満杯 一杯・金杯
	柄	柄・手柄・人柄 事柄・役柄・身柄
	欄	空欄・欄干・欄外 欄
欠（あくび・かける）	歓	歓喜・歓声・歓迎 歓談・歓呼・歓待
止（とめる）	歳	歳月・歳末・歳時記

部首	漢字	頻出用例
歹（かばねへん・いちたへん・がつへん）	殖	殖える・増殖・繁殖 養殖
殳（るまた・ほこづくり）	殿	殿堂・神殿・御殿 殿様・沈殿・宮殿
氵（さんずい）	汚	汚い・汚点・汚濁 汚名・汚水・汚職
	汗	汗・脂汗・発汗 汗水・寝汗
	況	盛況・近況・実況 不況
	沼	沼
	浸	浸す・浸透・水浸し 浸水
	沢	沢・沢登り・光沢
	濁	濁る・汚濁・清濁 濁流・濁音・濁点
	淡	淡い・濃淡・冷淡 淡泊・淡水・淡彩
	澄	澄む

部首	漢字	頻出用例
	沈	沈下・浮沈・沈める 不沈・沈着・沈黙
	滴	滴・水滴・点滴 一滴
	添	添える・添加・添付 添乗・添加物
	渡	渡る・橋渡し・渡航 世渡り・見渡す・渡世
	濃	濃淡・濃い・濃霧 濃密・濃度・濃縮
	泊	停泊・泊まる・淡泊 宿泊・外泊
	浜	砂浜・浜辺・海浜
	浮	浮上・浮沈・浮遊 浮力・浮く・浮世絵
	漫	散漫・漫然・漫画 漫遊
	溶	溶接・溶岩・溶かす 水溶液・溶液・溶解
	涙	感涙・涙・落涙 涙声

部首	漢字	頻出用例
火（ひへん）	煙	煙い・禁煙・煙突・噴煙・土煙
	燥	乾燥
	爆	爆発・爆弾
灬（れんが・れっか）	為	作為・無為・行為・為替・人為
	煮	煮る・煮物・甘露煮
	烈	熱烈・猛烈・鮮烈・強烈・痛烈・烈火
犬（いぬ）	獣	獣医・珍獣・猛獣
犭（けものへん）	獲	獲得・捕獲・漁獲・獲物
	狂	熱狂・狂喜・狂言・狂う・狂乱
	狭	狭い・手狭・狭まる
	狩	狩る

部首	漢字	頻出用例
	猛	猛烈・猛暑・猛攻・猛威・猛獣・勇猛
玄（げん）	玄	玄米・玄関
王（おうへん・たまへん）	環	環境・環状
	珍	珍しい・珍味・珍妙・珍奇・珍事・珍獣
甘（かん・あまい）	甘	甘い・甘受・甘言・甘口・甘党・甘露煮
田（た）	畳	畳・石畳
疒（やまいだれ）	疲	疲れる・疲労
	療	療養・医療・療法・治療・荒療治
白（しろ）	皆	皆勤・皆無・皆目
皿（さら）	監	監修・監視・監禁・監査
	盗	盗む・盗難・盗作・盗掘・盗品

部首	漢字	頻出用例
	盤	序盤・基盤・終盤・円盤・骨盤・地盤
	盆	盆地・盆踊り
目（め）	盾	矛盾・盾
目（めへん）	瞬	瞬間・一瞬・瞬時・瞬発力
	眠	永眠・安眠・不眠・休眠・眠気・眠い
矛（ほこ）	矛	矛先・矛盾・矛
石（いしへん）	砲	砲撃・砲丸・大砲・号砲・砲火・発砲
礻（しめすへん）	祈	祈願・祈念・祈る
禾（のぎ）	秀	秀作・優秀・秀麗・秀歌・秀才
禾（のぎへん）	稿	寄稿・起稿・遺稿・投稿・草稿・原稿
	称	通称・称賛・愛称・敬称・名称・称号

部首	漢字	頻出用例
	稲	稲刈り・稲作・稲妻
穴（あなかんむり）	突	突く・煙突・突然・唐突・突堤・突入
立（たつへん）	端	道端・端麗・極端・端整・異端・端
⺮（たけかんむり）	箇	箇条・箇所
	範	模範・範囲・規範・師範・広範
米（こめへん）	粒	粒子・米粒・豆粒・粒・大粒
糸（いと）	紫	紫・紫外線・紫色
	繁	繁茂・繁忙・繁殖・繁雑・繁栄
糸（いとへん）	維	維持
	緯	経緯・北緯・南緯
	縁	縁日・絶縁・縁故・機縁・縁起・縁
	繰	繰る
	継	継続・継ぐ・継承・中継・後継
	紹	紹介
	網	網・網戸・情報網・通信網・金網・連絡網
	紋	波紋・指紋・家紋・紋章
	絡	脈絡・連絡・連絡網
罒（あみがしら・あみめ・よこめ）	罰	賞罰・処罰・罰則・罰金・罰・厳罰
羽（はね）	翼	翼・尾翼・主翼
而（しかして・しこうして）	耐	耐震・耐寒・耐熱・耐火・耐える・耐久
肉（にく）	肩	肩・肩車・肩幅・肩身
	腐	腐敗・腐る・腐食・豆腐・防腐剤
	膚	皮膚・完膚
月（にくづき）	脚	失脚・橋脚・健脚・脚色・脚光・脚注
	脂	脂肪・樹脂・脂汗・油脂・脂質
	脱	脱帽・離脱・着脱・脱出・脱皮・脱ぐ
	胴	胴回り・胴上げ・胴体
	肪	脂肪
	腰	本腰・弱腰・腰・物腰
	腕	腕章・敏腕・手腕・腕力・腕前・腕白
至（いたる）	致	一致・致命・筆致・風致・招致・極致
舌（した）	舗	舗装・店舗・本舗・舗道
舟（ふね）	舟	舟

部首	漢字	頻出用例
舟	般	一般・諸般
艹	芋	芋・里芋・芋掘り
	菓	製菓・名菓・和菓子・洋菓子
	荒	荒れる・荒波・荒野・荒立てる・荒天・破天荒
	芝	芝生・芝居・芝
	薪	
	蓄	蓄える・貯蓄・含蓄・備蓄・蓄積・蓄財
	薄	薄情・薄い・薄着・薄弱・軽薄・薄味
	茂	茂る・繁茂
衣	襲	襲う・逆襲・襲名・襲来・踏襲・奇襲
衤	被	被る・被害・被服・被写体・被告・被災

部首	漢字	頻出用例
角	触	触れる・抵触・触発・触る・感触・触角
言	誉	誉れ・名誉・栄誉
言	詰	詰める・箱詰め・大詰め
	誇	誇る・誇張・誇示・誇大
	詳	詳細・詳報・詳しい・不詳・未詳・詳述
	訴	訴える・直訴・提訴・起訴
	謡	歌謡・民謡・謡曲・童謡
豕	豪	富豪・豪雨・豪快・豪勢・剣豪・古豪
貝	贈	贈る・寄贈・贈答・贈与
	販	販路・市販・販売
	賦	賦与・天賦

部首	漢字	頻出用例
走	越	越える・越境・越冬・優越・越権
	趣	趣向・趣味・趣旨・趣・情趣
𧾷	距	距離
	跡	追跡・跡形・史跡・筆跡・形跡・傷跡
	跳	跳ねる・跳躍・跳馬
	踏	踏む・未踏・踏襲・雑踏・踏切・足踏み
	躍	躍る・飛躍・活躍・跳躍・暗躍・躍動
	踊	踊る・舞踊・盆踊り
車	輝	輝く・光輝
	載	載る・積載・連載・記載・満載・転載
	輩	後輩・先輩・輩出・弱輩

部首	漢字	頻出用例
車（くるまへん）	較	比較
	軒	軒先・軒・数軒・軒下・軒並み
辶（しんにょう・しんにゅう）	違	相違・違反・違約・筋違い・違法・違和感
	迎	送迎・迎える・歓迎・迎合・迎春
	遣	派遣・小遣い・遣わす・気遣い・遣唐使
	込	込める・見込み
	遅	遅刻・遅い・遅速・遅延・遅咲き・遅配
	途	帰途・用途・前途・別途・使途・途中
	逃	逃げる・逃避・逃走・逃亡・見逃す
	透	透ける・浸透・透視・透明・透過
	迫	迫る・迫力・圧迫・迫真・切迫・気迫

部首	漢字	頻出用例
	避	逃避・避ける・避暑・回避・避難・退避
阝（おおざと）	郎	新郎
釆（のごめへん）	釈	釈明・釈放・解釈・釈然・注釈
舛（まいあし）	舞	舞台・舞踊・舞う・乱舞・鼓舞・見舞う
金（かねへん）	鋭	鋭敏・鋭利・鋭い・鋭角・精鋭・新鋭
	鉛	鉛・鉛色
	鑑	印鑑・図鑑・鑑賞・鑑定・鑑識・鑑別
	鎖	閉鎖・連鎖・鎖国・鎖・鎖骨
	鈍	鈍い・鈍痛・鈍感・鈍重・鈍角
門（もんがまえ）	闘	闘う・闘志・戦闘・闘争・健闘・格闘
阝（こざとへん）	陰	陰り・陰陽・物陰・陰口・陰性・陰気

部首	漢字	頻出用例
	隠	隠れる・隠居・隠然
	陣	退陣・円陣・出陣・敵陣・陣営・陣頭
	隣	近隣・隣接・隣人・隣・隣国・両隣
隶（れいづくり）	隷	隷属・奴隷
隹（ふるとり）	雅	雅俗・優雅・風雅・雅楽・典雅
	雌	雌・雌雄
	雄	雄大・雌雄・雄弁・英雄・雄花・雄
	離	離合・離脱・離陸・離す・距離・分離
雨（あめかんむり）	需	需要・必需品・内需・需給
	震	耐震・震える・余震・地震・激震・震源
	霧	濃霧・霧・霧笛・霧吹き・霧散・夜霧

部首	漢字	頻出用例
	雷	落雷(らくらい)・雷雨(らいう)・雷(かみなり)・雷雲(らいうん)・遠雷(えんらい)・地雷(じらい)
	露	吐露(とろ)・露店(ろてん)・露(つゆ)・露骨(ろこつ)・夜露(よつゆ)・露天(ろてん)
音(おと)	響	響く(ひびく)・反響(はんきょう)・音響(おんきょう)・影響(えいきょう)
頁(おおがい)	項	要項(ようこう)・項目(こうもく)・事項(じこう)・条項(じょうこう)
	頼	頼る(たよる)・信頼(しんらい)・依頼(いらい)・頼む(たのむ)
食(しょくへん)	飾	服飾(ふくしょく)・飾る(かざる)・髪飾り(かみかざり)・装飾(そうしょく)・宝飾品(ほうしょくひん)
馬(うま)	驚	驚く(おどろく)・驚異(きょうい)・驚嘆(きょうたん)
馬(うまへん)	駆	駆ける(かける)・駆使(くし)・駆除(くじょ)・先駆(せんく)・駆動(くどう)
	騒	騒ぐ(さわぐ)・騒然(そうぜん)・騒音(そうおん)・騒動(そうどう)・胸騒ぎ(むなさわぎ)・物騒(ぶっそう)
髟(かみがしら)	髪	頭髪(とうはつ)・髪飾り(かみかざり)・調髪(ちょうはつ)・散髪(さんぱつ)・白髪(しらが)・毛髪(もうはつ)
鬼(おに)	鬼	鬼(おに)・鬼才(きさい)・鬼気(きき)

部首	漢字	頻出用例
魚(うおへん)	鮮	鮮やか(あざやか)・新鮮(しんせん)・鮮度(せんど)・鮮烈(せんれつ)・鮮明(せんめい)・生鮮(せいせん)
鹿(しか)	麗	秀麗(しゅうれい)・端麗(たんれい)
黒(くろ)	黙	黙殺(もくさつ)・黙る(だまる)・黙読(もくどく)・黙想(もくそう)・暗黙(あんもく)・沈黙(ちんもく)
歯(はへん)	齢	樹齢(じゅれい)・高齢(こうれい)・老齢(ろうれい)
鼓(つづみ)	鼓	鼓動(こどう)・鼓舞(こぶ)・太鼓(たいこ)・鼓笛隊(こてきたい)・鼓吹(こすい)

5級新出配当漢字一覧

配当漢字を部首ごとにまとめ、過去に出題された用例を頻出順にのせています。
色がついている漢字は、試験によく出る漢字です。

部首	漢字	頻出用例
一（いち）	並	手並み・並木・並べる・軒並み・歯並び
し（おつ）	乳	乳飲み・乳製品・離乳
	乱	乱れる・乱舞・乱暴・散乱
亠（なべぶた・けいさんかんむり）	亡	存亡・興亡・逃亡
イ（にんべん）	供	供える・供給・自供・提供
	傷	傷・傷跡・傷口・古傷
	仁	仁愛
	値	値札・値引き・値下げ・価値
	俳	
	俵	俵・土俵・米俵
	優	優れる・優劣・優良・優越・優秀・優雅

部首	漢字	頻出用例
儿（ひとあし・にんにょう）	党	与党・甘党・離党・野党
冂（どうがまえ・けいがまえ・まきがまえ）	冊	
几（つくえ）	処	処理・処罰
刀（かたな）	券	
刂（りっとう）	割	割れる・割合
	劇	劇場・寸劇・惨劇・演劇
	刻	遅刻・刻む・即刻・小刻み
	創	創立・独創
力（ちから）	勤	皆勤・勤労・勤勉・勤続
卩（わりふ・ふしづくり）	卵	
㔾（わりふ・ふしづくり）	巻	巻く・巻末

部首	漢字	頻出用例
	危	危うい・危害
又（また）	収	徴収・収支・吸収・収益・収納・収集
口（くち）	后	
	善	善戦
	否	否認・安否・賛否・可否
ロ（くちへん）	吸	呼吸・吸収・吸う
	呼	歓呼・呼応・呼ぶ・呼吸・点呼
囗（くにがまえ）	困	困惑・困る
土（つち）	垂	垂れる
土（つちへん）	域	地域・領域・区域
大（だい）	奏	吹奏・演奏・吹奏楽・合奏・独奏

部首	漢字	頻出用例
	奮	興奮・奮う・奮起・奮闘
女	姿	姿・姿勢
子	孝	孝行
	存	存亡・存在
宀	宇	宇宙
	宗	
	宣	宣告・宣伝・宣言・宣教師
	宅	在宅
	宙	宇宙
	宝	宝飾品
	密	濃密・綿密・秘密・密接・密・密閉
寸	射	射る・注射
	将	将来
	寸	寸暇・寸断・寸劇・原寸
	専	専業・専属・専念・専攻・専任
	尊	尊敬
尢	就	就寝・就く・就任・就職・去就・就労
尸	尺	
	層	
	展	発展・展示・展望・展覧
	届	届く
己	己	利己的
巾	幕	
干	干	干満・干拓・干す・欄干・梅干し
幺	幼	幼年・幼い・幼児
广	座	座る・即座
	庁	
廴	延	遅延・延長・延期・延びる
彳	従	服従・従う・従業員・従事
	律	戒律
⺍	厳	厳しい・威厳・厳寒・厳冬
心	恩	恩恵
	憲	違憲

部首	漢字	頻出用例
	忠	
	忘	忘れる
戈（ほこづくり・ほこがまえ）	我	我先
手（て）	承	承認・継承・承知
扌（てへん）	拡	拡幅・拡張・拡大
	揮	発揮・指揮者
	捨	取捨・捨てる
	推	推す・推量・推理・推察・推進・推測
	操	操縦・操業
	担	負担・担当・分担
	探	探る・手探り
	拝	拝む・拝観・拝借
	批	批評・批判
攵（のぶん・ぼくづくり）	敬	敬う・尊敬・敬語・敬称
	敵	匹敵・敵陣・宿敵・強敵
日（ひ）	暮	暮れる・夕暮れ
日（ひへん）	映	映像
	暖	温暖
	晩	晩成
月（つき）	朗	朗報・朗読
木（き）	染	染める
木（きへん）	株	株
	机	机上
	権	越権・権威・権限・権勢
	樹	樹齢・大樹・樹脂・樹立・樹木・老樹
	棒	片棒
	枚	
	模	模範・模写・模型・模様・規模
欠（あくび・かける）	欲	欲しい・欲張り・意欲
殳（るまた・ほこづくり）	段	格段・手段・段階
水（みず）	泉	泉
氵（さんずい）	沿	沿う・沿道・沿線・沿岸
	激	激怒・激しい・過激・刺激・激突・激震

部首	漢字	頻出用例
	源	桃源郷（とうげんきょう）・源（みなもと）・資源（しげん）
	済	済（す）ます・経済（けいざい）・救済（きゅうさい）
	洗	洗面（せんめん）・洗剤（せんざい）
	潮	潮時（しおどき）・風潮（ふうちょう）・最高潮（さいこうちょう）
	派	派遣（はけん）
火（ひ）	灰	灰色（はいいろ）
灬（れんが・れっか）	熟	未熟（みじゅく）・円熟（えんじゅく）・熟慮（じゅくりょ）・熟練（じゅくれん）・早熟（そうじゅく）
片（かた）	片	断片（だんぺん）・破片（はへん）・片時（かたとき）・片言（かたこと）・片側（かたがわ）・片棒（かたぼう）
王（おうへん・たまへん）	班	
田（た）	異	驚異（きょうい）・異端（いたん）・異彩（いさい）・奇異（きい）・異様（いよう）
疋（ひき）	疑	疑（うたが）う・疑惑（ぎわく）・疑念（ぎねん）

部首	漢字	頻出用例
疒（やまいだれ）	痛	鈍痛（どんつう）・痛烈（つうれつ）・痛快（つうかい）・頭痛（ずつう）・痛（いた）い・手痛（ていた）い
白（しろ）	皇	
皿（さら）	盛	盛（さか）ん・盛況（せいきょう）・全盛（ぜんせい）・目盛（めも）り・盛大（せいだい）・盛会（せいかい）
	盟	加盟（かめい）・同盟（どうめい）・連盟（れんめい）
目（め）	看	看護（かんご）・看板（かんばん）・看病（かんびょう）
石（いしへん）	砂	砂丘（さきゅう）・砂糖（さとう）・砂浜（すなはま）
	磁	磁気（じき）
禾（のぎへん）	穀	穀物（こくもつ）
	私	私利（しり）・私欲（しよく）
	秘	極秘（ごくひ）・秘密（ひみつ）・黙秘（もくひ）・秘境（ひきょう）
穴（あな）	穴	風穴（かざあな）・墓穴（ぼけつ）

部首	漢字	頻出用例
穴（あなかんむり）	窓	車窓（しゃそう）・窓辺（まどべ）
⺮（たけかんむり）	簡	簡略（かんりゃく）・簡便（かんべん）・簡潔（かんけつ）・簡単（かんたん）・簡易（かんい）・簡素（かんそ）
	筋	筋道（すじみち）・筋違（すじちが）い・鼻筋（はなすじ）・筋肉（きんにく）・筋書（すじが）き・筋金（すじがね）
	策	対策（たいさく）・散策（さんさく）・得策（とくさく）
米（こめへん）	糖	砂糖（さとう）
糸（いと）	系	系統（けいとう）・生態系（せいたいけい）・系列（けいれつ）
糸（いとへん）	絹	絹（きぬ）・絹糸（きぬいと）
	紅	真紅（しんく）・紅葉（こうよう）・紅梅（こうばい）・紅（くれない）・紅茶（こうちゃ）・紅白（こうはく）
	縦	縦断（じゅうだん）・操縦（そうじゅう）
	縮	縮（ちぢ）める・短縮（たんしゅく）・圧縮（あっしゅく）・濃縮（のうしゅく）・恐縮（きょうしゅく）
	純	単純（たんじゅん）

部首	漢字	頻出用例
	納	納入・未納・納税・納める・納期・収納
罒（あみがしら・あみめ・よこめ）	署	署名
羽（はね）	翌	
耳（みみ）	聖	
肉（にく）	胃	胃腸
	背	背く・背丈・背中・背負う・背泳ぎ・背景
月（にくづき）	胸	胸元・胸騒ぎ
	臓	心臓
	腸	胃腸
	脳	頭脳・首脳
	肺	

部首	漢字	頻出用例
	腹	満腹
至（いたる）	至	至る・至急・至難・冬至・至極
舌（した）	舌	毒舌・弁舌・毒舌家・舌打ち
艹（くさかんむり）	若	若人
	蒸	蒸発
	蔵	貯蔵・無尽蔵
	著	著作
虫（むし）	蚕	蚕
血（ち）	衆	民衆・衆知
衣（ころも）	裁	裁く・制裁・裁断
	装	舗装・装飾・服装・包装・新装・装備

部首	漢字	頻出用例
	裏	裏切り・裏庭・裏付け・裏地・裏手
衤（ころもへん）	補	補う・補修・補欠・候補・補強・補習
見（みる）	視	透視・監視・視野・巡視・注視・視界
	覧	観覧車・展覧会
臣（しん）	臨	臨時
言（げん）	警	警戒・警報
言（ごんべん）	誤	
	詞	
	誌	雑誌
	諸	諸般
	誠	誠

部首	漢字	頻出用例
	誕	誕生(たんじょう)・生誕(せいたん)
	討	討議(とうぎ)・検討(けんとう)・討論(とうろん)
	認	承認(しょうにん)・是認(ぜにん)・認識(にんしき) 否認(ひにん)・認定(にんてい)・黙認(もくにん)
	訪	訪(おとず)れる・訪問(ほうもん)・歴訪(れきほう)
	訳	内訳(うちわけ)・通訳(つうやく)・訳(わけ)
	論	論拠(ろんきょ)・論旨(ろんし)
貝(かい・こがい)	貴	貴重(きちょう)
	賃	運賃(うんちん)
辶(しんにょう しんにゅう)	遺	遺稿(いこう)・遺品(いひん)・遺言(ゆいごん)
	退	退却(たいきゃく)・退(しりぞ)ける・退屈(たいくつ) 退陣(たいじん)・脱退(だったい)・撃退(げきたい)
阝(おおざと)	郷	桃源郷(とうげんきょう)・郷土(きょうど)・郷里(きょうり)
	郵	
金(かねへん)	鋼	鋼鉄(こうてつ)
	針	方針(ほうしん)・針(はり)・指針(ししん) 針葉樹(しんようじゅ)
	銭	
門(もんがまえ)	閣	
	閉	閉鎖(へいさ)・閉(と)ざす・閉口(へいこう) 密閉(みっぺい)
阝(こざとへん)	降	降(ふ)る・降(お)りる
	除	除(のぞ)く・駆除(くじょ)・除去(じょきょ)
	障	支障(ししょう)・故障(こしょう)・保障(ほしょう)
	陛	
隹(ふるとり)	難	難儀(なんぎ)・難易(なんい)・避難(ひなん) 盗難(とうなん)・難解(なんかい)・難(むずか)しい
革(かくのかわ つくりがわ)	革	革新(かくしん)・改革(かいかく)・皮革(ひかく) 変革(へんかく)
頁(おおがい)	頂	頂(いただ)く・有頂天(うちょうてん)・山頂(さんちょう)
	預	預(あず)ける・預金(よきん)
骨(ほね)	骨	骨身(ほねみ)・露骨(ろこつ)・骨盤(こつばん)

まちがえやすい漢字

試験でまちがいが多発している漢字を紹介します。
まちがえるポイントを押さえ、セットで覚えましょう。

【参考文献】『漢字源 改訂第六版』学研プラス

形の似た字のまちがい

遺 vs 遣

遣には、人員をよそに行かせるという字義がある。「派遣」「小遣い」などが出題されている。
遺には、のこす、わすれるという字義がある。「遺品」「遺稿」などが出題されている。

形の似た字のまちがい

操 vs 繰

繰には、たぐるという字義がある。「繰り返す」として出題されている。
操には、あやつる、さばくという字義がある。「体操」「志操堅固」などが出題されている。

形の似た字のまちがい

徴 vs 微

微には、かすかではっきりしないという字義がある。「微細」「微力」などが出題されている。
徴には、求める、きざしという字義がある。「象徴」「特徴」などが出題されている。

同音異字のまちがい

偉 vs 緯

緯には、横糸という字義がある。「経緯」などが出題されている。
偉には、大きくて立派という字義がある。「偉人」「偉業」などが出題されている。

同音異字のまちがい

獲 vs 確

確には、固まって動かないという字義がある。「確保」「確信」などが出題されている。
獲には、捕まえたえものという字義がある。「獲得」「捕獲」などが出題されている。

同音異字のまちがい

鑑 vs 監

監には、見張るという字義がある。「監修」「監視」などが出題されている。
鑑には、鏡、手本、前例という字義がある。「鑑賞」「鑑定」「印鑑」などが出題されている。

同音異字のまちがい

歓 vs 勧

勧には、すすめるという字義がある。「勧告」「勧める」などが出題されている。
歓には、喜ぶ、宴会という字義がある「歓待」「歓談」などが出題されている。

同音異字のまちがい

機 vs 幾

幾には、いくつという字義がある。「幾つ」「幾分」などが出題されている。
機には、はたおり、しかけという字義がある。「待機」「危機一髪」などが出題されている。

同音異字のまちがい

議 vs 儀

儀には手本とすべき規準という字義がある。「威儀」「礼儀」「難儀」などが出題されている。
議には話し合うという字義がある。「議論」「討議」などが出題されている。

同音異字のまちがい
材 vs 財
財には、値打があるものという字義がある。「蓄財」「文化財」などが出題されている。
材には、山から切ってきた木、転じて建築等に使うものという字義がある。「素材」「適材」などが出題されている。

同音異字のまちがい
連 vs 練
練には、ねる、体をきたえるという字義がある。「訓練」「老練」などが出題されている。
連には、つらなるという字義がある。「連載」「連鎖」などが出題されている。

同訓異字のまちがい
刈 vs 駆
駆には、馬を走らせるという字義がある。「馬で駆ける」などが出題されている。
刈には、草などをかりとるという字義がある。「草を刈る」などが出題されている。

部首のまちがい
凡 vs 丹
丹の部首は、丶(てん)、凡の部首は几(つくえ)。
丹は、土をほって赤い砂が現れた様子を表す。丶が部首の字は他に丸、主がある。
凡は広い面積をおおう板をしめす。なお、机の部首は木(きへん)で几ではない。

同音異字のまちがい
複 vs 復
復には、元に戻すという字義がある。「往復」「復旧」などが出題されている。
複には、重なるという字義がある。「複雑」などが出題されている。

同訓異字のまちがい
住 vs 澄
澄には、水の汚れがしずみ、清らかな部分が上にたまるという字義がある。「水が澄む」などが出題されている。
住には、居をかまえて生活するという字義がある。「農村に住む」などが出題されている。

部首のまちがい
秀 vs 委
委の部首は女（おんな）、秀の部首は禾（のぎ）。
禾は曲がって垂れたイネ。委は、女性がイネのようにしなだれる様子。
秀は稲穂がすらりと伸びた様子。禾が部首の字は4級では秀だけしかない。

部首のまちがい
同 vs 再
再の部首は冂（どうがまえ）、同の部首は口（くち）。
再は繰り返しを示す指事文字（異説あり）。冂が部首の字には、冊、円がある。
同は板に穴をあけて突き通す意味。

同音異字のまちがい
慢 vs 漫
漫には、はびこる、おおうという字義がある。「漫然」「漫言放語」などが出題されている。
慢には、いいかげん、だらしないという字義がある。「高慢」「自慢」「慢性」などが出題されている。

同訓異字のまちがい
捕 vs 執
執には、手に握る、職務を握るという字義がある。「事務を執る」などが出題されている。
捕には、つかまえるという字義がある。「魚を捕る」などが出題されている。

部首のまちがい
威 vs 戒
戒の部首は戈（ほこがまえ）、威の部首は女（おんな）。
戈は武器のほこの意味。戒はほこを両手で持って用心している様子をしめす。
威は女性がほこでおどされている様子を示した字。

部首のまちがい
載 vs 裁
裁の部首は衣（ころも）、載の部首は車（くるま）。
裁はほこで布を切る様子を示す。さばく意味もある。
載は車の荷がずるずると落ちないよう、なわなどでとめること。

※「漢字検定」「漢検」は、公益財団法人 日本漢字能力検定協会の登録商標です。

受検をお考えの方は、必ずご自身で公益財団法人 日本漢字能力検定協会の発表する最新情報をご確認ください。
ホームページ：https://www.kanken.or.jp/kanken/
【試験に関する問い合わせ】
・ホームページ(問い合わせフォーム)：https://www.kanken.or.jp/kanken/contact/
・電話：0120-509-315

編集協力(データ分析、一部問題作成)　岡野秀夫

漢字検定4級〔頻出度順〕問題集

編　者　資格試験対策研究会
発行者　清水美成
発行所　株式会社 高橋書店
〒170-6014 東京都豊島区東池袋3-1-1 サンシャイン60 14階
電話　03-5957-7103

本書の内容についてのご質問は「書名、質問事項(ページ、内容)、お客様のご連絡先」を明記のうえ、郵送、FAX、ホームページお問い合わせフォームから小社へお送りください。
回答にはお時間をいただく場合がございます。また、電話によるお問い合わせ、本書の内容を超えたご質問にはお答えできませんので、ご了承ください。本書に関する正誤等の情報は、小社ホームページもご参照ください。

【内容についての問い合わせ先】
書　面　〒170-6014 東京都豊島区東池袋3-1-1 サンシャイン60 14階　高橋書店編集部
F A X　03-5957-7079
メール　小社ホームページお問い合わせフォームから　(https://www.takahashishoten.co.jp/)

【不良品についての問い合わせ先】
ページの順序間違い・抜けなど物理的欠陥がございましたら、電話03-5957-7076へお問い合わせください。
ただし、古書店等で購入・入手された商品の交換には一切応じられません。